초능력 쌤의 구연동화 비디오북으로 독서와 독해를 한 번에!

유아 독해 2단계 수록 작품 전체
구연동화 비디오북 제공

- 초능력 쌤이 생생하게 들려 주는 창작 동화, 전래 동화, 세계 명작, 우화, 그림 동화 총 다섯 작품을 비디오북으로 듣고 보며 책 읽는 재미를 느끼게 해 주세요.
- 형광펜 효과에 따라 비디오북을 한 편씩 읽고 나면 집중력과 독해력이 향상됩니다.

초능력 쌤과 키우자, 공부힘!

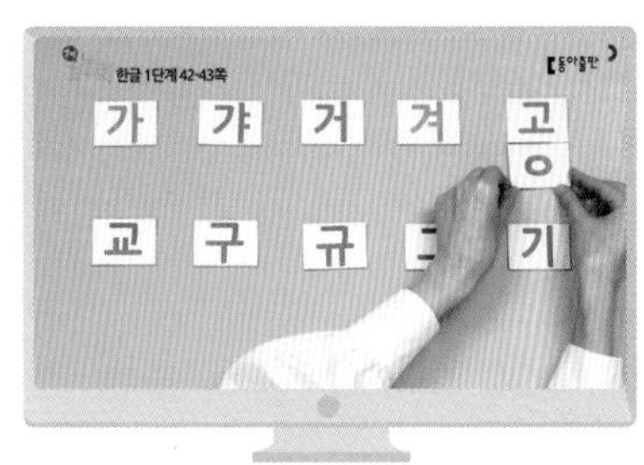

한글 | 글자의 짜임 강의

- 글자 카드를 활용하여 쉽고 재미있게 한글 원리 강의
- 받침과 쌍자음, 복잡한 모음이 들어간 글자 짜임 방식 완벽 이해

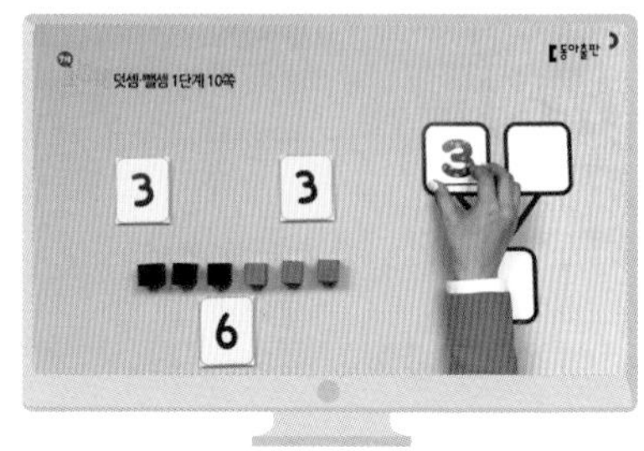

덧셈·뺄셈 | 개념 활동 강의

- 그림과 교구를 활용한 활동으로 덧셈·뺄셈 원리 강의
- 구체물을 활용한 짧고 쉬운 설명으로 덧셈·뺄셈 문제 완벽 이해

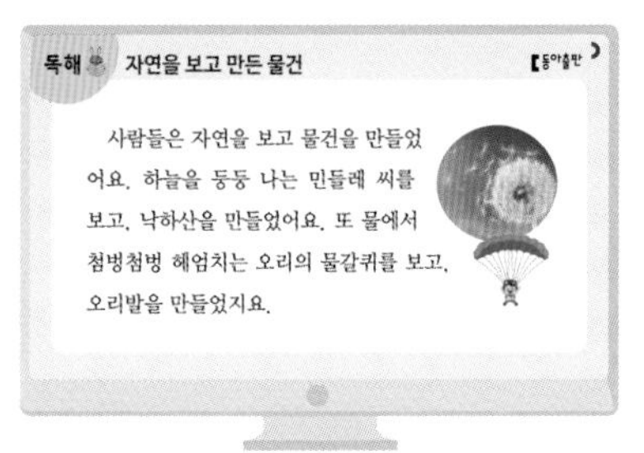

유아 독해 | 비디오북

- 생활 글 전 지문, 동화 전체 수록 작품 비디오북 제공
- 비디오북을 보며 글에 집중하여 따라 읽고 독해력 향상

도형·비교·시계·규칙 | 개념 활동 강의

- 그림과 교구를 활용한 활동으로 도형·비교·시계·규칙 원리 강의
- 구체물을 활용한 짧고 쉬운 설명으로 도형·비교·시계·규칙 문제 완벽 이해

놀이 한자 | 한자 챈트

- 그림으로 상형 문자인 기초 한자를 생생하게 이해
- 한자의 모양·뜻·소리를 동시에 효과적으로 학습

엄마랑 둘이 학습하는 한글 쓰기 / 창의력·집중력

- **한글 쓰기** 실생활에서 많이 쓰이는 132개 낱말의 짜임과 순서를 자세하고 쉽게 이해
- **창의력·집중력** 7세의 창의력과 집중력을 동시에 향상시킬 수 있는 두뇌 계발 교재

7세

초능력 유아 독해

2단계

7세

유아도 **독해 공부**해야 하나요?

독해(讀解) : 단순히 낱말만 읽는 것이 아니라 글을 읽고 글에 담긴 뜻을 이해하는 것.

왜 해야 하나요?

독해는 모든 독서, 모든 공부의 기초이기 때문입니다.
독해가 안 되면 글을 아무리 읽어도 내용을 알 수 없어요.

언제 해야 하나요?

한글을 뗀 6세나 7세부터 독해를 시작하세요.
일찍 독해를 시작할수록 언어 능력 · 사고 능력 · 추론 능력을 더 많이 발달시킬 수 있어요.

무엇이 좋은가요?

독해 연습을 꾸준히 하면 글의 내용을 금방 이해하고, 주제를 정확하게 파악할 수 있어요.
또, 책 읽는 즐거움도 느껴 다독하게 됩니다.

6~7세 독해 공부 **어떻게** 해야 하나요?

1 문장 독해

처음부터 많은 문장, 긴 글을 읽을 필요는 없어요.
간단하고 쉬운 문장부터 읽고, 문장의 구조와 핵심 요소를 파악하는 연습을 하게 해 주세요.

2 문단 독해

문장 독해에 익숙해지면 문장이 모여 만들어진 문단을 읽게 해 주세요.
이때 문단의 내용을 바르게 이해하는 연습을 반복적으로 시켜 주세요.

3 짧은 글 독해

문단이 모여 이루어진 짧은 글을 읽고 글 전체의 주제를 정리하게 해 주세요.
그리고 짧은 글을 끝까지 읽고, 생각하는 힘도 키우도록 지도해 주세요.

7세 초능력 유아 독해로 시작하세요!

1단계 문장 독해부터 집중적으로 연습할 수 있어요!

선우가 | 어린이날에 | 산에서 | "야호!" 외쳐요.

누가 | 언제 | 어디에서 | 무엇을 하다

생활 글 자연 탐구 / 나와 우리 / 규칙과 약속 / 즐길 거리 / 우리 문화

- 문장의 구조를 바르게 이해하며 '누가', '언제', '어디에서', '무엇을', '어떻게', '왜' 했는지 문장의 핵심 요소를 찾아보도록 구성했습니다.
- 7세의 언어 발달 수준을 고려하여 뽑은 독해 원리를 익히며 처음부터 제대로 독해할 수 있습니다.
- 다양한 글감의 글을 읽으며 세상 구석구석에서 일어나는 일을 살펴보고, 유아 수준에서 알아야 할 지식 정보까지 쌓을 수 있어 유익합니다.

2단계 짧은 글을 독해하고 중요한 내용을 정리할 수 있어요!

더워지자 그 사람은 옷을 벗었습니다.

"바람아, 때로는 힘보다 부드러운 햇빛이 더 강할 수도 있는 거야." — 가르침을 알 수 있는 부분

동화 창작 동화 / 세계 명작 / 전래 동화 / 우화 / 그림 동화

- 문장이 여러 개 모여 이루는 문단을 독해하며 글의 의미를 바르게 이해하고 감상하는 연습을 하도록 구성했습니다.
- 매주 한 편의 글을 읽고 나서 글 전체의 중요한 내용을 따라 쓰며 쓰기 능력을 향상시킬 수 있습니다.
- 짧은 동화 다섯 작품의 전체를 읽으면 이제 막 글 읽기를 시작하는 7세가 독해하는 재미를 느껴 폭넓은 독서를 하게 될 것입니다.

7세

초능력 유아 독해 이렇게 공부하세요.

1 숨은 그림 찾기 어떤 내용의 글을 독해하게 될지 짐작하며 독해 전 집중력을 높여요.

학부모 TIP

"이번 주에 어떤 내용의 글을 읽게 될까?"라고 물어보시며 자녀가 독해에 관심을 가지도록 유도해 주세요.

2 독해 원리 익히고 연습하기 주별로 다른 독해 원리를 배우고 연습 문제를 풀어요.

학부모 TIP

독해를 할 때 꼭 필요한 원리를 다양하게 익히고, 간단한 문제를 풀어 보며 독해 자신감을 키우도록 이끌어 주세요.

QR 코드를 찍어 동화 '영상 보기'

생생한 비디오북을 보며 한 편의 동화 내용을 이해하는 학습을 합니다.
동화 전체 내용을 정리하고, 스스로 감상하는 힘을 기릅니다.

3 한 편의 글 독해하기 독해 원리를 적용하고 문제를 풀며 글의 자세한 내용을 확인합니다.

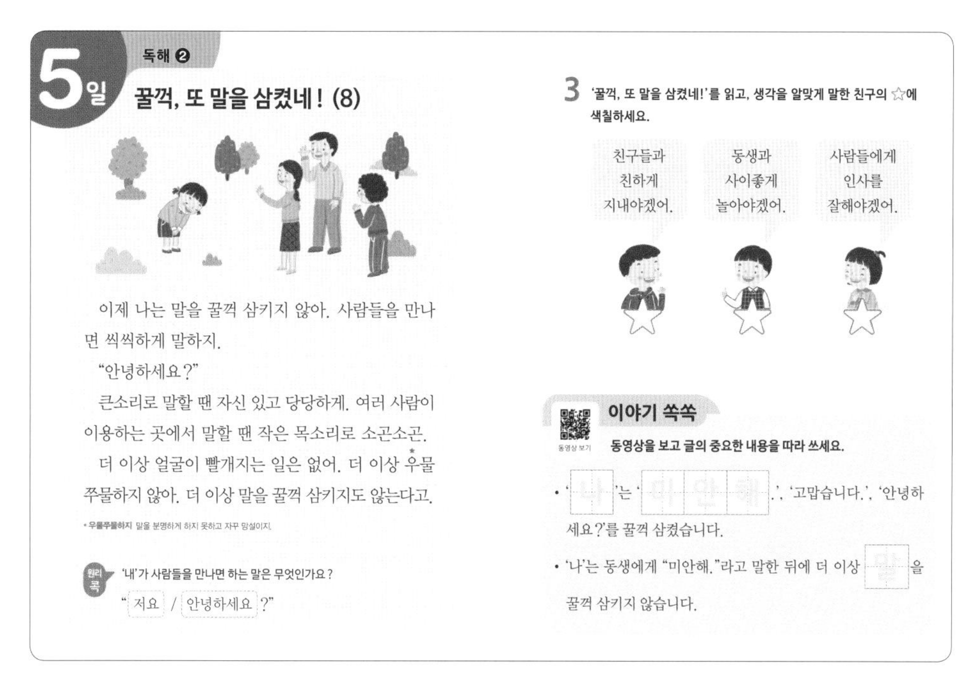

학부모 TIP

자녀가 문제를 다 풀면 "정답"을 보며 글을 바르게 이해했는지 빠르게 확인합니다. 또, 틀린 문제는 왜 틀렸는지 설명해 주세요.

7세 초능력 독해 1단계는? 이런 점이 달라요!

매일 새롭게 배우는 독해 원리!

예쁜 그림과 함께 생활 글을 읽을 때 꼭 알아야 하는 요소를 배워요.

짧은 글을 빠르게 독해 학습!

글을 집중해서 읽고, 다양한 유형의 독해 문제를 풀며 독해 실력을 높여요.

소리 내어 따라 읽으며 쏙쏙 정리!

독해한 글을 영상으로 다시 보고, 천천히 따라 읽으며 내용을 기억해요.

7세 초능력 유아 독해 2단계 차례

7세 초능력 유아 독해 1단계 미리보기

1주

실린 작품:
꿀꺽, 또 말을 삼켰네!

위 그림에서 아래의 내용들을 찾아 ○ 하세요.

1일

독해 원리 ❶

'주인공' 찾기

주인공

[코로]는 정말 떼쟁이예요.

갖고 싶은 걸 안 사 주면 바닥에 누워요.

1 '주인공'을 찾아 [   ]에 색칠하세요.

[지우]는 아침에 엄마께서 끓여 주신 [미역국]을 맛있게 먹었어요. 오늘은 지우의 생일이거든요.

‘주인공이 한 말’ 찾기

주인공이 한 말

“로봇 갖고 싶어!”

코로가 으앙 울음을 터뜨렸어요.

2 ‘주인공이 한 말’을 찾아 [ ] 에 색칠하세요.

준이는 고양이를 쓰다듬었어요.

“와! 털이 정말 부드러워.”

고양이가 ‘야옹야옹’ 소리를 냈어요.

1일 독해 원리 ❸

‘때와 곳’ 찾기

일이 일어난 때　　일이 일어난 곳

코로는 낮에 엄마랑 시장에 갔어요.

“코로야, 길에서 떼쓰면 안 돼.”

3 ‘일이 일어난 곳’을 찾아 [　　] 에 색칠하세요.

예린이가 아빠와 공원에 갔어요. 예린이는 아빠께 자전거를 배웠어요. 처음에는 무서웠지만 나중에는 신이 났어요.

'일어난 일' 찾기

일어난 일

집에 돌아온 코로는 엄마 품에 안겼어요.

"엄마, 이제 떼쓰지 않을게요."

4 '일어난 일'을 찾아 [ ]에 색칠하세요.

태리가 언니랑 바닷가에서 물놀이를 해요.

"언니, 이것 봐. 조개껍데기야!"

태리가 활짝 웃었어요.

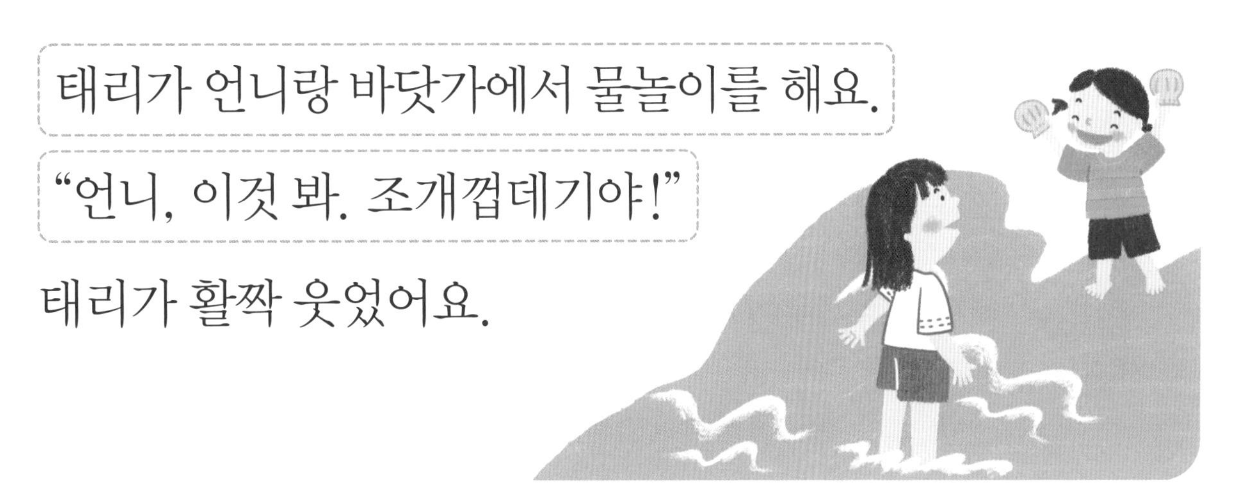

2일 독해 ❶

꿀꺽, 또 말을 삼켰네! (1)

그림 그리는 시간이었어.

내 파란색 크레파스가 어디로 갔는지 보이질 않는 거야. 그때 짝꿍이 새로 산 크레파스를 빌려주었지.

그런데 이게 웬일이야?

한참 하늘을 색칠하고 있는데 크레파스가 뚝 부러지는 게 아니겠어!

짝꿍의 얼굴이 노랗게 변했어.

원리 콕 주인공은 누구인가요?

'나' / 크레파스 예요.

1 일이 일어난 때는 언제인지 ○ 하세요.

운동하는 시간

글자 쓰는 시간

그림 그리는 시간

악기 배우는 시간

2 짝꿍의 얼굴은 왜 노랗게 변했는지 ○ 하세요.

크레파스가
부러져서

새 크레파스가
생겨서

꿀꺽, 또 말을 삼켰네! (2)

'미안해.' 하고 말해야지. 그런데 그 말이 영 나오지를 않는 거야.

꿀꺽! 말을 삼켜 버렸네.

짝꿍의 얼굴이 점점 일그러졌어.

"흥! 미안하다는 말도 안 하는 너랑은 안 놀 거야."

얼굴이 후끈후끈 달아올랐어.

원리 콕 일어난 일은 무엇인가요?

'내'가 말 / 음식 을 꿀꺽 삼켰어요.

3 '내'가 꿀꺽 삼킨 말은 무엇인지 색칠하세요.

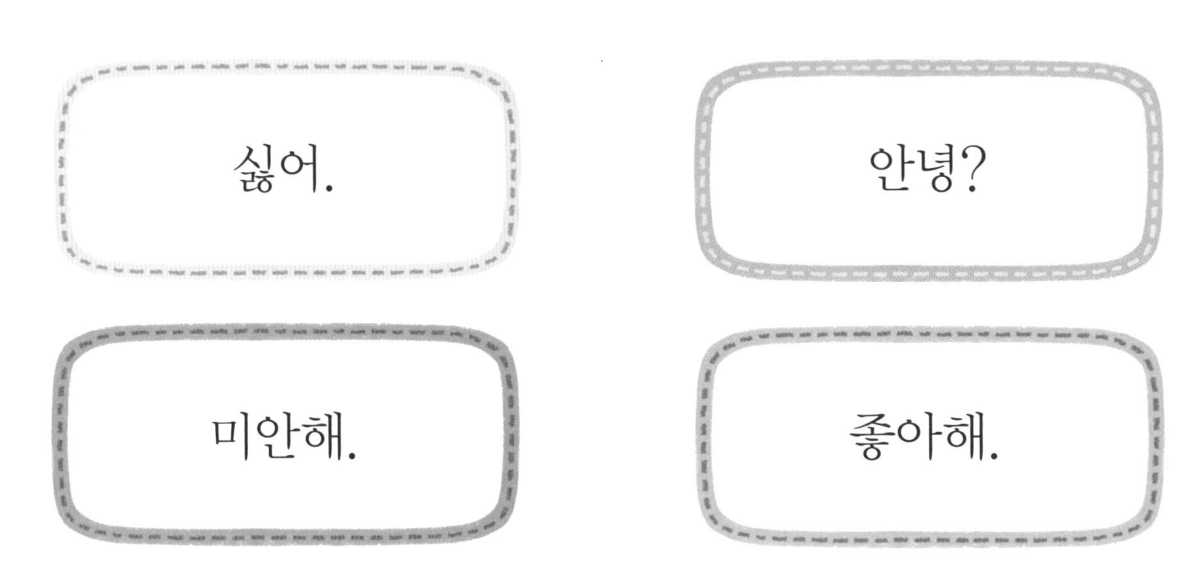

4 '내'가 말을 삼켰을 때 짝꿍의 마음은 어땠을지 ○ 하세요.

3일 독해 ❶

꿀꺽, 또 말을 삼켰네! (3)

집에 돌아오는 길이었어. 한눈팔다가* 그만 넘어져서 무릎이 까졌어.

“아야!”

“아이고, 많이 아프겠구나.”

마침 지나가던 아줌마가 나를 업고 약국으로 가 정성껏 약을 발라 주었어.

“이제 괜찮을 거야.”

* **한눈팔다가** 걸어가는 길을 보지 않고 다른 곳을 보다가.

‘내’가 한 말은 무엇인가요?

“ 아야 / 아이고 !”

1 '나'는 넘어져서 어디를 다쳤는지 ◯ 하세요.

손

이마

어깨

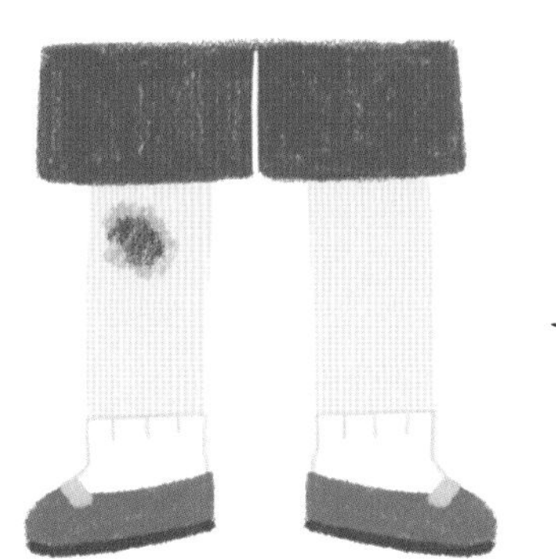

무릎

2 아줌마에게 어울리는 말은 무엇인지 ◯ 하세요.

무서워요.

친절해요.

3일 독해 ❷

꿀꺽, 또 말을 삼켰네! (4)

'고맙습니다.' 하고 말해야지. 그런데 그 말이 영 나오지를 않는 거야.

꿀꺽! 또 말을 삼켜 버렸네.

약국에 약을 사러 온 사람들이 흘깃흘깃* 나를 쳐다보며 말했어.

"요즘 아이들은 도대체 고맙다는 인사를 할 줄 몰라."

얼굴이 후끈후끈 달아올랐어.

* **흘깃흘깃** 자꾸 못마땅한 듯이 쳐다보는 모양.

일이 일어난 곳은 어디인가요?

교실 / 약국 이에요.

3 '고맙습니다.'와 바꾸어 쓸 수 있는 말은 무엇인지 ○ 하세요.

고맙습니다.

죄송합니다.

감사합니다.

4 글의 내용에 맞으면 ○에, 틀리면 ×에 색칠하세요.

'나'는 인사를 하지 못했어요.

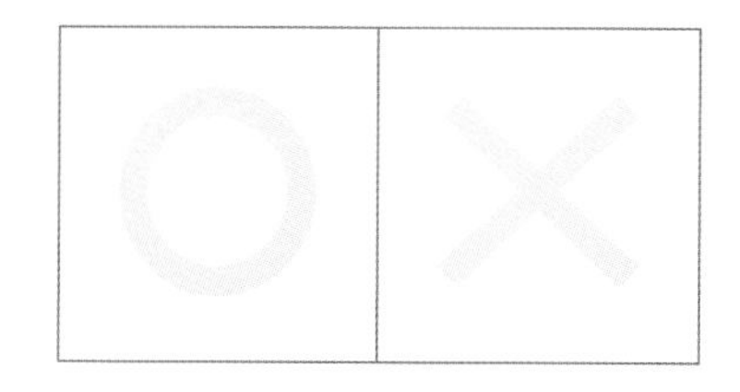

'나'는 칭찬을 많이 받았어요.

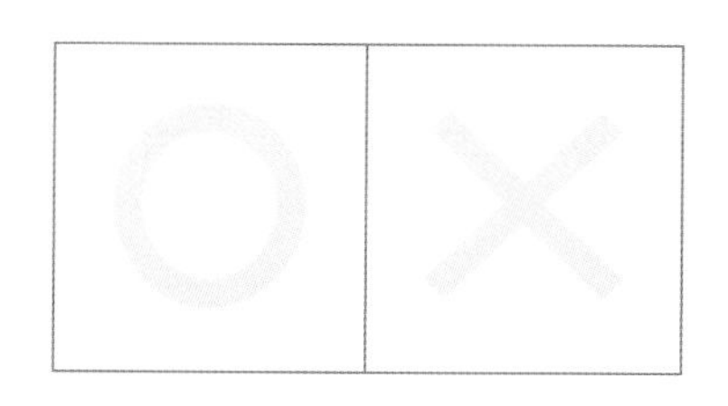

독해 ❶

꿀꺽, 또 말을 삼켰네! (5)

아침에 시골에서 할머니가 올라오셨어.

'안녕하세요?' 하고 말해야지. 그런데 그 말이 영 나오지를 않는 거야.

또다시 **꿀꺽!** 또 말을 삼켜 버렸네.

할머니가 혀를 끌끌 차며 말씀하셨어.

"너는 이 할미가 반갑지도 않니?"

얼굴이 후끈후끈 달아올랐어.

원리 콕

일이 일어난 때는 언제인가요?

아침 / 저녁 이에요.

1 시골에서 누가 올라오셨는지 ○ 하고, 빈칸에 쓰세요.

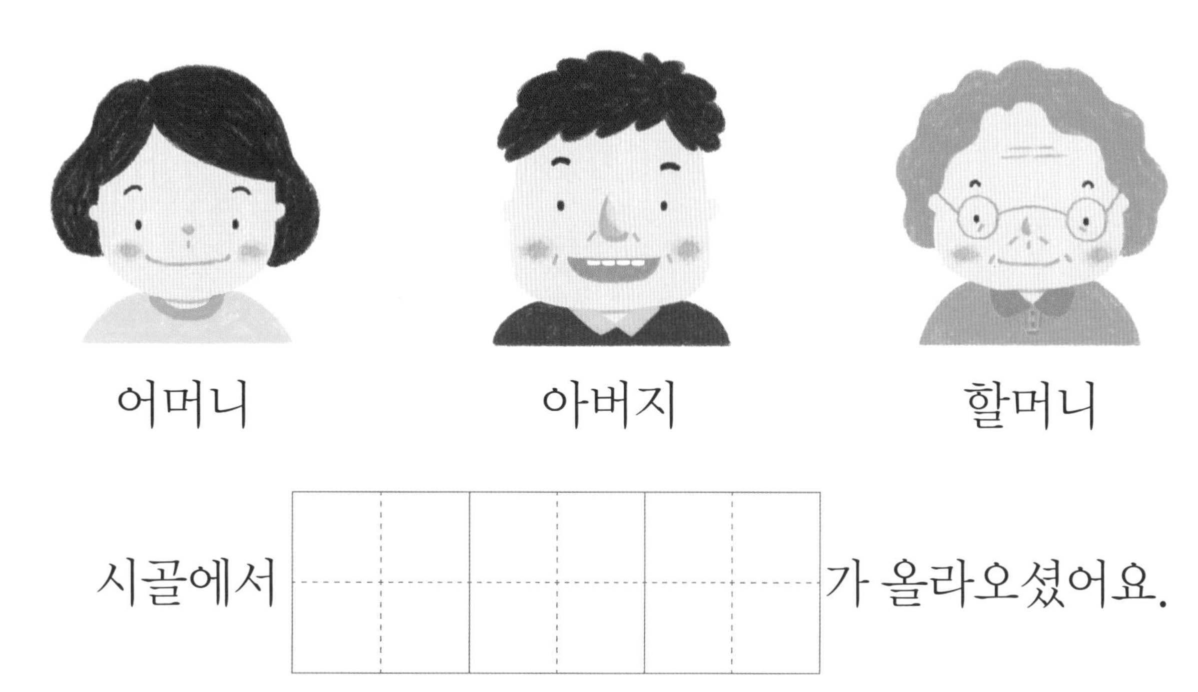

어머니 　 아버지 　 할머니

시골에서 [　 　 　] 가 올라오셨어요.

2 할머니는 왜 혀를 끌끌 차셨는지 ○ 하세요.

'내'가 할머니를
반가워해서

'내'가 할머니께
인사를 하지 않아서

독해 ❷

꿀꺽, 또 말을 삼켰네! (6)

그러던 어느 날, 배 속에서 요란한* 소리가 나기 시작했어.

"난 밖으로 나가고 싶어."

꿀꺽 삼켜 버린 '미안해.'가 아쉬운 듯이 말했어.

그러자 '고맙습니다.'와 '안녕하세요?'가 밝은 목소리로 말하더군.

"우리도 밖으로 나가고 싶어."

내가 그동안 꿀꺽꿀꺽 삼켜 버린 말이 배 속에서 난리가 난 거야.

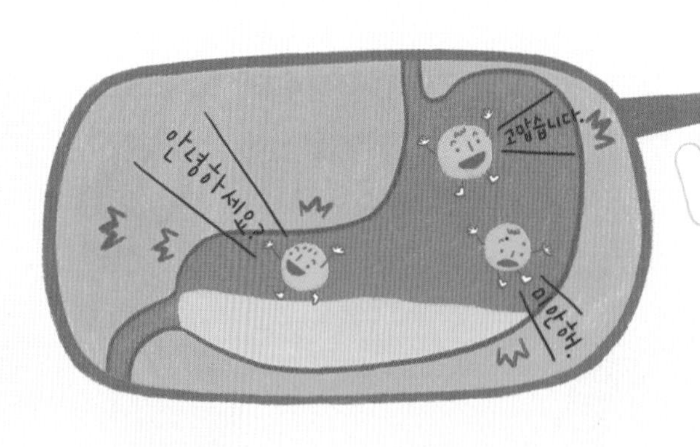

* **요란한** 시끄럽고 떠들썩한.

일어난 일은 무엇인가요?

'나'의 [귀 / 배] 속에서 소리가 났어요.

3 ‘나’의 배 속에서 요란한 소리를 낸 것은 누구인지 글자에 색칠하세요.

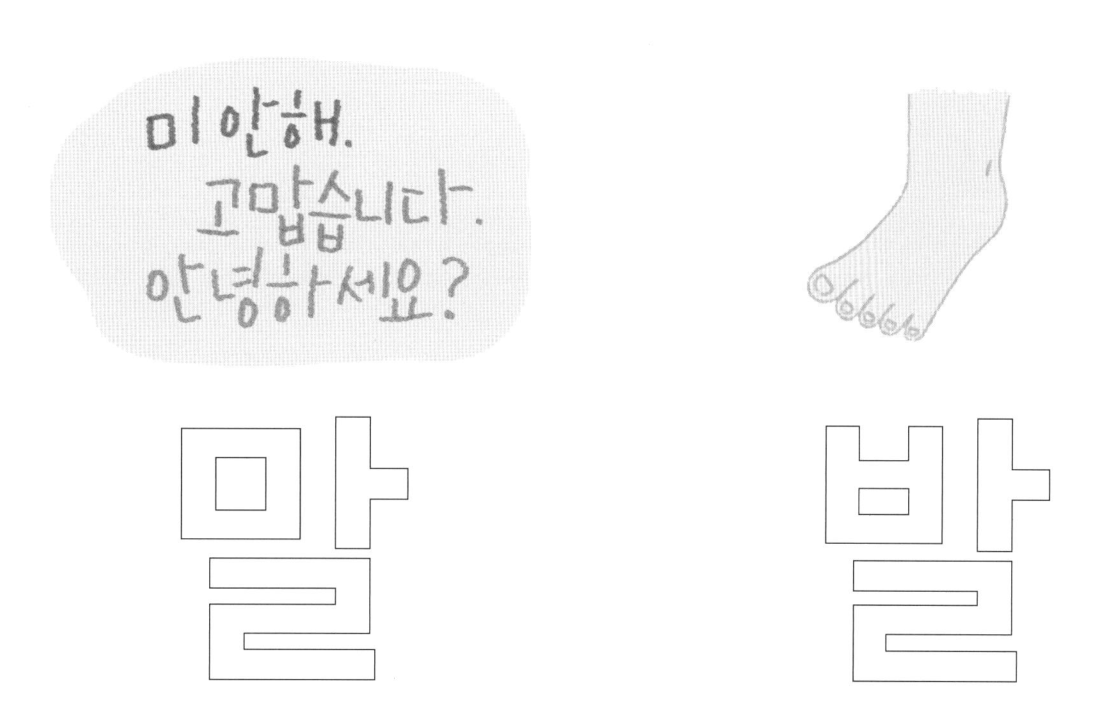

4 말이 왜 배 속에서 난리가 났는지 ○ 하세요.

밖으로
나가고 싶어서

배 속에서 계속
살고 싶어서

독해 ❶

꿀꺽, 또 말을 삼켰네 ! (7)

그때 동생이 불쑥 들어와 소리쳤어.

"누나가 내 게임기 가져갔어?"

근데 '미안해.'가 목에 걸려 나오지를 않는 거야. 허둥지둥 책상 위에 있는 게임기를 들고 가다가 넘어졌어. 그때 '미안해.'가 탁! 튀어나왔어.

"미안해."

동생의 얼굴이 밝아졌어. 어찌나 시원하던지.

원리 콕 '내'가 동생에게 한 말은 무엇인가요?

" 미안해 / 괜찮아 ."

1 다음은 누가 한 말인지 ◯ 하세요.

"누나가 내 게임기 가져갔어?"

'나'

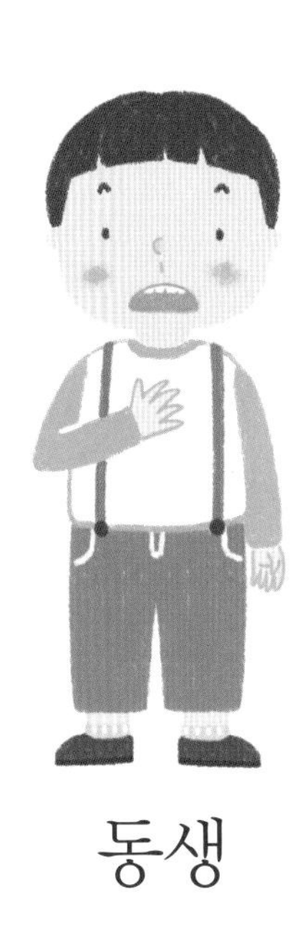

동생

2 '나'는 "미안해."라고 말하고 어떤 기분이 들었는지 ◯ 하세요.

슬퍼요.

시원해요.

억울해요.

독해 ❷

꿀꺽, 또 말을 삼켰네! (8)

이제 나는 말을 꿀꺽 삼키지 않아. 사람들을 만나면 씩씩하게 말하지.

"안녕하세요?"

큰소리로 말할 땐 자신 있고 당당하게. 여러 사람이 이용하는 곳에서 말할 땐 작은 목소리로 소곤소곤.

더 이상 얼굴이 빨개지는 일은 없어. 더 이상 우물쭈물하지 않아. 더 이상 말을 꿀꺽 삼키지도 않는다고.

* **우물쭈물하지** 말을 분명하게 하지 못하고 자꾸 망설이지.

'내'가 사람들을 만나면 하는 말은 무엇인가요?

" 저요 / 안녕하세요 ?"

3 '꿀꺽, 또 말을 삼켰네!'를 읽고, 생각을 알맞게 말한 친구의 ☆에 색칠하세요.

친구들과 친하게 지내야겠어.	동생과 사이좋게 놀아야겠어.	사람들에게 인사를 잘해야겠어.
 ☆	 ☆	 ☆

이야기 쏙쏙

동영상 보기

동영상을 보고 글의 중요한 내용을 따라 쓰세요.

- '나'는 '미안해.', '고맙습니다.', '안녕하세요?'를 꿀꺽 삼켰습니다.
- '나'는 동생에게 "미안해."라고 말한 뒤에 더 이상 말을 꿀꺽 삼키지 않습니다.

2주

실린 작품:
거인의 정원

위 그림에서 아래의 내용들을 찾아 ○ 하세요.

1일 독해 원리 ❶

'마음을 나타내는 말' 찾기

마음을 나타내는 말

"웬디의 이야기는 재미있어."
팅커벨이 피터 팬에게 말했어요.

1 **'마음을 나타내는 말'을 찾아 [ ]에 색칠하세요.**

[한밤중에] 동생이 나를 깨웠어요.
"누나, 꿈에서 괴물이 나를 쫓아왔어.
너무 [무서워.]"

‘마음을 나타내는 행동’ 찾기

마음을 나타내는 행동

웬디의 눈이 호기심으로 반짝였어요.

“정말? 무척 재미있겠다.”

2 ‘마음을 나타내는 행동’을 찾아 ☐에 색칠하세요.

아빠가 점심으로 볶음밥을 해 주셨어요.

“아빠, 정말 맛이 있어요.”

아빠는 활짝 웃으셨어요.

1일

독해 원리 ❸

'생각을 나타내는 부분' 찾기

생각을 나타내는 부분

'피터 팬은 웬디만 좋아해.'

팅커벨은 기분이 나빠졌어요.

3 '생각을 나타내는 부분'을 찾아 [ ]에 색칠하세요.

윤지가 동물원에 간 일을 자랑했어요.

'나도 동물원에 가고 싶다.'

시완이는 윤지가 부러웠어요.

독해 원리 ❹

인물의 표정으로 마음 짐작하기

슬픈 표정 → 헤어지는 것이 아쉬운 마음

웬디와 동생들이 피터 팬과 작별 인사를 하며 눈물을 글썽거렸어요.

4 **표정으로 짐작할 수 있는 아이들의 마음을 찾아 [ ]에 색칠하세요.**

큰형이 떡볶이를 많이 가져왔어요.
"와, 떡볶이다!"

- 슬퍼요.
- 신나요.

독해 ❶

거인의 정원 (1)

넓고 아름다운 정원*이 있었어요. 아이들은 정원에서 날마다 즐겁게 뛰어놀았답니다.

이 정원의 주인은 아주 큰 거인인데, 친구 도깨비의 집에 머물다 집으로 돌아왔어요.

정원에서 뛰노는 아이들을 보고 거인은 화가 나서 소리쳤지요.

"여긴 내 정원이야! 아무도 여기에 들어올 수 없어!"

* **정원** 집 안에 있는 뜰이나 꽃밭.

거인의 화가 난 마음을 나타내는 행동은 무엇인가요?

아이들에게 [인사했어요 / 소리쳤어요].

1 정원의 주인은 누구인지 ○ 하고, 빈칸에 쓰세요.

정원의 주인은 ＿＿＿＿ 이에요.

2 아이들을 본 거인의 마음으로 알맞은 것에 색칠하세요.

부러웠어요.

화가 났어요.

독해 ❷

거인의 정원 (2)

거인은 정원 주위에 높은 담을 쌓았지요.

봄이 되자 온 나라에 꽃이 피고 새들이 노래했어요. 하지만 어찌 된 일인지 거인의 정원만은 겨울이었어요.

'왜 이렇게 봄이 늦게 오는지 모르겠군.'

거인은 날마다 창밖을 내다보며 날씨가 따뜻해지기만을 손꼽아 기다렸답니다.

거인의 생각을 나타내는 부분은 무엇인가요?

거인은 정원 주위에 높은 담을 쌓았지요. /

'왜 이렇게 봄이 늦게 오는지 모르겠군.'

3 거인이 한 일로 맞으면 ○에, 틀리면 ×에 색칠하세요.

정원의 새들을
내쫓았어요.

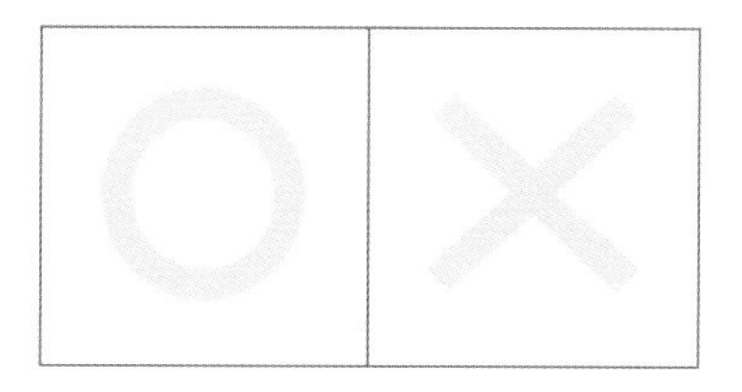

정원 주위에 높은
담을 쌓았어요.

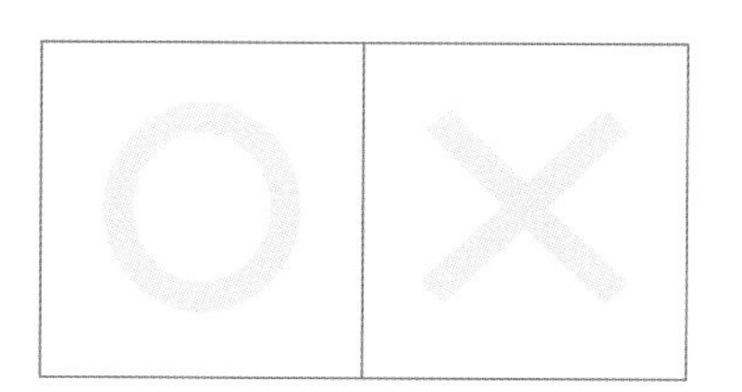

4 다음과 같은 거인의 생각으로 알 수 있는 것에 ○ 하세요.

'왜 이렇게 봄이 늦게 오는지 모르겠군.'

거인은 봄을 기다리고 있어요.

거인은 아이들을 기다리고 있어요.

독해 ❶

거인의 정원 (3)

그러나 봄은 오지 않았어요. 여름도, 가을도 오지 않았어요.

거인의 정원은 언제나 겨울뿐이었지요.

그러던 어느 날, 새가 아름답게 노래하는 소리가 들렸어요. 찬바람과 눈은 어느새 멈추었고, 어디선가 꽃향기가 풍겨 나왔어요.

"이제 드디어 봄이 왔나 보군!"

거인은 천천히 창문의 커튼을 열었어요.

원리 콕 표정으로 알 수 있는 거인의 마음은 무엇인가요?

행복해요 / 쓸쓸해요 .

1 거인의 정원은 계속 어떤 계절이었는지 ○ 하세요.

2 커튼을 열 때 거인의 마음은 어땠을지 ○ 하세요.

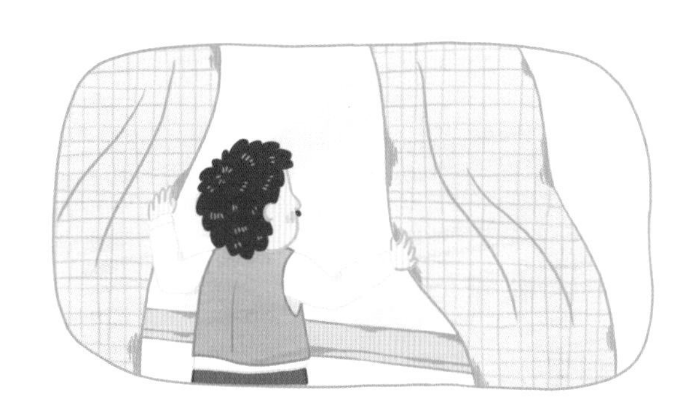

기대돼요.　　　귀찮아요.　　　괴로워요.

3일 독해 ❷

거인의 정원 (4)

창밖을 내다본 거인이 깜짝 놀랐어요. 아이들이 담에 난 작은 구멍으로 기어들어 와, 나무마다 앉아 있는 게 아니겠어요! 나무들은 가지마다 온몸을 꽃으로 덮고, 새들은 이리저리 날아다니며 즐겁게 지저귀고* 있었지요.

드디어 거인은 왜 자신의 정원에 봄이 오지 않았는지를 알 수 있었어요.

* **지저귀고** 새들이 계속 소리 내어 울고.

표정으로 짐작할 수 있는 아이들의 마음은 무엇인가요?

즐거워요 / 놀랐어요 .

3 아이들이 한 행동에 모두 ○ 하세요.

새를 타고 날아다녔어요.

나무마다 앉아 있었어요.

담에 난 작은 구멍으로 기어들어 왔어요.

4 거인의 정원에는 왜 봄이 오지 않았는지 ○ 하세요.

물이 없어서

아이들이 없어서

독해 ❶

거인의 정원 (5)

'아, 나는 얼마나 나밖에 모르는 사람이었던가!'

거인은 문을 열고 정원으로 나갔어요.

그런데 저 멀리 정원의 맨 구석만은 여전히 찬바람이 부는 겨울이었어요.

그곳에는 한 작은 아이가 울며 서 있었어요. 키가 작아서 나무에 올라갈 수 없어서 속상했던 것이었지요.

원리 콕 작은 아이의 속상한 마음을 나타내는 행동은 무엇인가요?

울며 / 웃으며 서 있었어요.

1 정원의 맨 구석에는 누가 있었는지 ○ 하세요.

나비

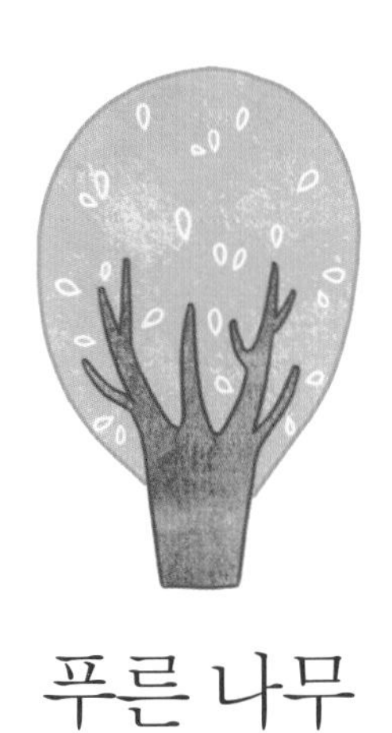

푸른 나무

작은 아이

2 작은 아이는 나무에 올라갈 수 없어서 어떤 마음이 들었는지 ○ 하세요.

속상해요.

뿌듯해요.

지루해요.

신이 나요.

독해 ❷

4일 거인의 정원 (6)

거인은 그 작은 아이에게 다가가 그 아이를 나무 위에 가만히 올려 주었어요.

그러자 나무에 금방 꽃이 피고, 새들은 노래하며 나무 주위로 날*아들었지요.

"정말 기뻐요."

작은 아이는 거인을 껴안고, 거인의 뺨에 입을 맞추었답니다.

* **날아들었지요** 날아서 안으로 왔지요.

원리 콕 나무 위에 올라간 작은 아이의 마음을 나타내는 말은 무엇인가요?

"정말 기뻐요 / 외로워요."

3 거인은 작은 아이를 어떻게 했는지 ○ 하세요.

정원 밖으로 내쫓았어요.

나무 위에 올려 주었어요.

4 거인 덕분에 작은 아이의 마음은 어떻게 변했는지 알맞은 것에 색칠하세요.

속상해요.

기뻐요.

짜증 나요.

독해 ❶

5일 거인의 정원 (7)

아이들은 날마다 거인의 정원을 찾아왔어요. 그러나 거인이 나무 위에 올려 준 그 작은 아이는 다시는 볼 수 없었지요.

그 뒤 많은 세월이 흘렀어요. 이제 거인은 늙고 약해져서 늘 의자에 앉아서 지냈어요.

'내 정원에는 아름다운 꽃이 많지만, 저 아이들이야말로 가장 아름다운 꽃이야!'

원리 콕 거인의 생각을 나타내는 부분은 무엇인가요?

'내 정원에는 아름다운 꽃이 많지만, 저 아이들이야말로 가장 미운 / 아름다운 꽃이야!'

1 많은 세월이 흘러 거인은 어떻게 되었는지 ◯ 하세요.

젊고 강해졌어요.

늙고 약해졌어요.

2 다음 거인의 생각으로 알 수 있는 것은 무엇인지 ◯ 하세요.

'내 정원에는 아름다운 꽃이 많지만, 저 아이들이야말로 가장 아름다운 꽃이야!'

거인은 아이들을 싫어해요.

거인은 아이들을 사랑해요.

독해 ❷

거인의 정원 (8)

어느 겨울 아침, 거인이 밖을 내다보니 오래전 그 작은 아이가 서 있었어요. 거인은 아이에게 달려갔어요.

"네가 와서 기쁘구나."

작은 아이가 웃으며 손을 내밀자, 거인은 그 손을 꼭 잡았어요. 그리고 기쁜 마음으로 함께 떠났답니다. 아주 먼, 천국*의 정원으로…….

* **천국** 하늘에 있는 좋은 곳.

원리 콕

작은 아이를 본 거인의 마음을 나타내는 말은 무엇인가요?

"네가 와서 귀찮구나 / 기쁘구나."

3 '거인의 정원'을 읽고, 생각을 알맞게 말한 친구의 ☆에 색칠하세요.

거인은 끝까지
자기밖에
몰랐던 것 같아.

☆

작은 아이와 천국의
정원으로 떠나는
장면이 감동적이야.

☆

이야기 쏙쏙

동영상 보기

동영상을 보고 글의 중요한 내용을 따라 쓰세요.

- 아이들이 떠난 [거인]의 [정원]은 언제나 겨울이었지만, 아이들이 돌아오자 정원에 [봄]이 왔습니다.
- 거인은 [작은] [아이]를 따라 천국의 정원으로 떠났습니다.

3주

실린 작품:
젊어지는 샘물

위 그림에서 아래의 내용들을 찾아 ○ 하세요.

1일

독해 원리 ❶

'시간을 나타내는 말' 찾기

시간을 나타내는 말

옛날 어느 마을에 한 부자 영감님이 살았습니다.

1 '시간을 나타내는 말'을 찾아 [ ] 에 색칠하세요.

유나는 [아침] 에 가족과 기차를 탔어요. 그리고 점심때가 다 되어서야 [바닷가] 에 도착했어요.

'계절을 나타내는 말' 찾기

계절을 나타내는 말

찌는 듯이 무더운 여름날 이었습니다.

욕심쟁이 영감님은 땀을 줄줄 흘렸어요.

2 '계절을 나타내는 말'을 찾아 [ ] 에 색칠하세요.

추운 겨울날, 엄마가 호빵을 사 주셨어요.

뜨거워서 호호 불면서 먹었어요. 맛있어서

한 개 더 먹고 싶었어요.

1일

독해 원리 ❸

'먼저 일어난 일' 찾기

먼저 일어난 일

영감님은 어느새 잠이 들었습니다.

잠시 뒤, 한 총각이 나무 그늘로 다가왔어요.

3 '먼저 일어난 일'을 찾아 [   ]에 색칠하세요.

서율이는 아침에 친구와 놀이터에서 놀았어요.

낮에는 집에서 맛있는 간식을 먹었지요.

독해 원리 ❹

'나중에 일어난 일' 찾기

나무 그늘이 영감님 집을 뒤덮었습니다.

그러자 마을 사람들이 몰려왔어요. — 나중에 일어난 일

4 '나중에 일어난 일'을 찾아 [ ] 에 색칠하세요.

단우는 아침 일찍 일어나 책을 읽었어요.

낮에는 동생과 장난감을 가지고 놀았어요.

2일 독해 ❶

젊어지는 샘물 (1)

옛날 깊고 깊은 산골에 마음씨 착한 할아버지와 할머니가 살았어.

할아버지와 할머니는 매우 가난했어. 하지만 언제나 감사하는 마음으로 행복하게 살았지.

할아버지와 할머니에게는 자식이 없었어. 그래서 늘 다른 사람들처럼 자식을 갖는 게 꿈이었지.

"우리에게도 자식이 있으면 얼마나 좋을까?"

시간을 나타내는 말은 무엇인가요?

옛날 / 산골 이에요.

1 누가누가 나오는지 모두 찾아 ○ 하세요.

아들

할머니

할아버지

2 할아버지와 할머니는 어떤 마음으로 살았는지 ○ 하세요.

감사하는 마음으로
행복하게 살았어요.

미워하는 마음으로
싸우면서 살았어요.

2일

독해 ❷

젊어지는 샘물 (2)

그러던 어느 여름날이었어.

할아버지가 산에서 나무를 하다가 숲속 깊은 곳에서 맑은 샘물을 찾았어.

"아니, 이렇게 깊은 곳에 샘물이 있다니! 목이 마르던 참인데 잘됐다."

할아버지는 두 손 가득 샘물을 담아 마셨어. 그러고는 풀밭에 누워 깊은 잠에 빠져 버렸지.

원리 콕 계절을 나타내는 말은 무엇인가요?

샘물 / 여름날 이에요.

3 할아버지는 숲속 깊은 곳에서 무엇을 찾았는지 색칠하고, 빈칸에 쓰세요.

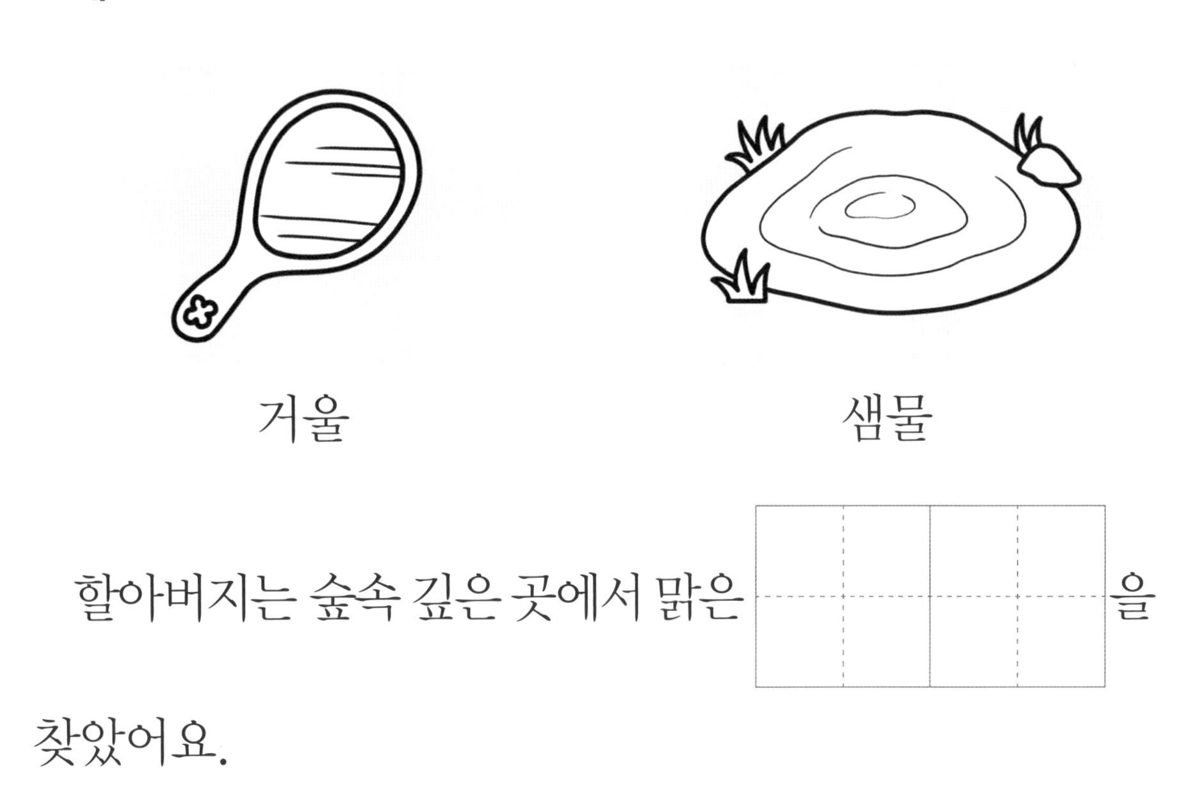

할아버지는 숲속 깊은 곳에서 맑은 [ ] 을 찾았어요.

4 먼저 일어난 일을 찾아 ○ 하세요.

할아버지가 두 손 가득 샘물을 담아 마셨어요.

할아버지가 풀밭에 누워 깊은 잠에 빠졌어요.

젊어지는 샘물 (3)

저녁 무렵, 할아버지는 잠에서 깨어났어.

할아버지는 몸을 서둘러 일으켜 세웠어. 그런데 이게 무슨 일일까? 새우등*처럼 굽었던 허리가 쫙 펴지고, 다리에는 힘이 넘치는 게 아니겠니! 쭈글쭈글하던 손과 얼굴의 주름도 매끈매끈하게 펴졌어.

할아버지가 낮에 마신 샘물이 바로 젊어지는 샘물이었던 거야.

* **새우등** 새우처럼 구부러진 등.

시간을 나타내는 말은 무엇인가요?

[새우등] / [저녁 무렵] 이에요.

1 할아버지는 잠에서 깨어나자 어떤 모습이 되었는지 ◯ 하세요.

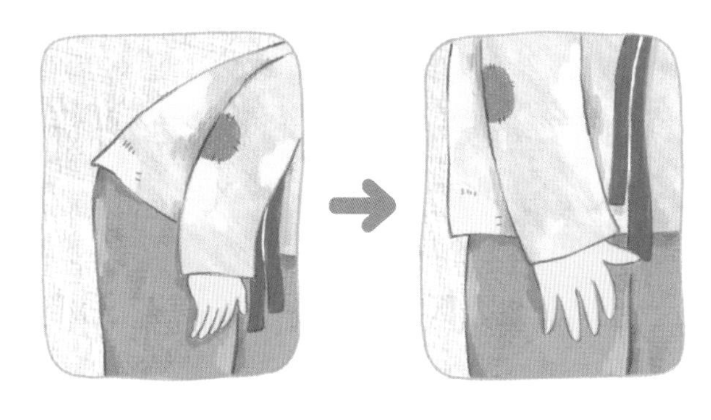

굽었던 허리가 펴졌어요.

얼굴에 주름이 생겼어요.

2 할아버지가 왜 젊어졌는지 ◯ 하세요.

젊어지는 샘물을
마셔서

젊어지는 샘물로
세수를 해서

3일

독해 ❷

젊어지는 샘물 (4)

한편 할머니는 할아버지가 걱정되어 집 앞에 나와 있었어. 할아버지는 한걸음에 달려가 할머니의 손을 잡았지. 깜짝 놀란 할머니는 뒷걸음질을 쳤어.

"할멈, 나요! 내가 당신 남편이란 말이오."

할머니가 낯선 젊은이를 자세히 살펴보니 할아버지 젊었을 때의 모습과 똑같지 뭐야. 할아버지는 낮에 있었던 일을 자세히 이야기해 주었어.

원리 콕 먼저 일어난 일은 무엇인가요?

젊어진 할아버지가 할머니의 손을 잡았어요. / 할아버지가 낮에 있었던 일을 이야기해 주었어요.

3 '한걸음에'와 바꾸어 쓸 수 있는 말은 무엇인지 ○ 하세요.

할아버지는 한걸음에 달려가 할머니의 손을 잡았지.

느릿느릿

쉬지 않고

4 글의 내용에 맞으면 ○에, 틀리면 ×에 색칠하세요.

낯선 젊은이는
할아버지였어요.

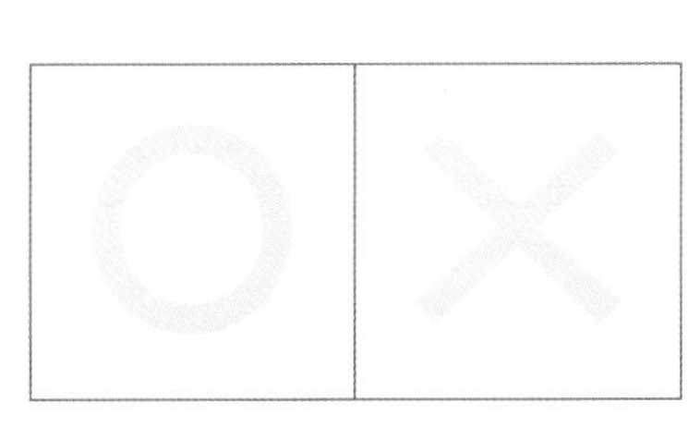

할머니는 낯선
젊은이를 내쫓았어요.

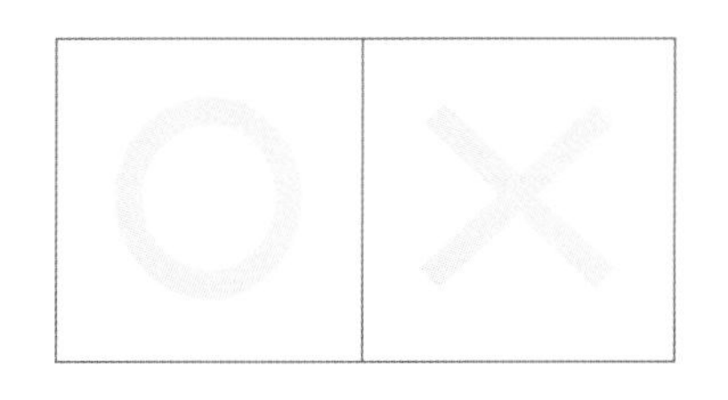

독해 ❶

젊어지는 샘물 (5)

다음 날 아침, 할머니는 할아버지와 함께 산에 올라가 젊어지는 샘물을 마셨어. 쭈글쭈글하던 할머니의 손과 얼굴도 매끈하게 펴지고, 하얗던 머리도 까맣게 변했지. 할아버지와 할머니는 웃으며 서로의 얼굴을 바라보았어.

새신랑과 새색시가 된 할아버지와 할머니는 오순*도순 더욱더 행복하게 살았단다.

* **오순도순** 사이좋게 지내는 모양.

원리 콕 나중에 일어난 일은 무엇인가요?

할머니가 젊어졌어요. / 젊어지는 샘물을 마셨어요.

1 할머니와 할아버지는 언제 젊어지는 샘물을 마셨는지 ○ 하고, 빈 칸에 쓰세요.

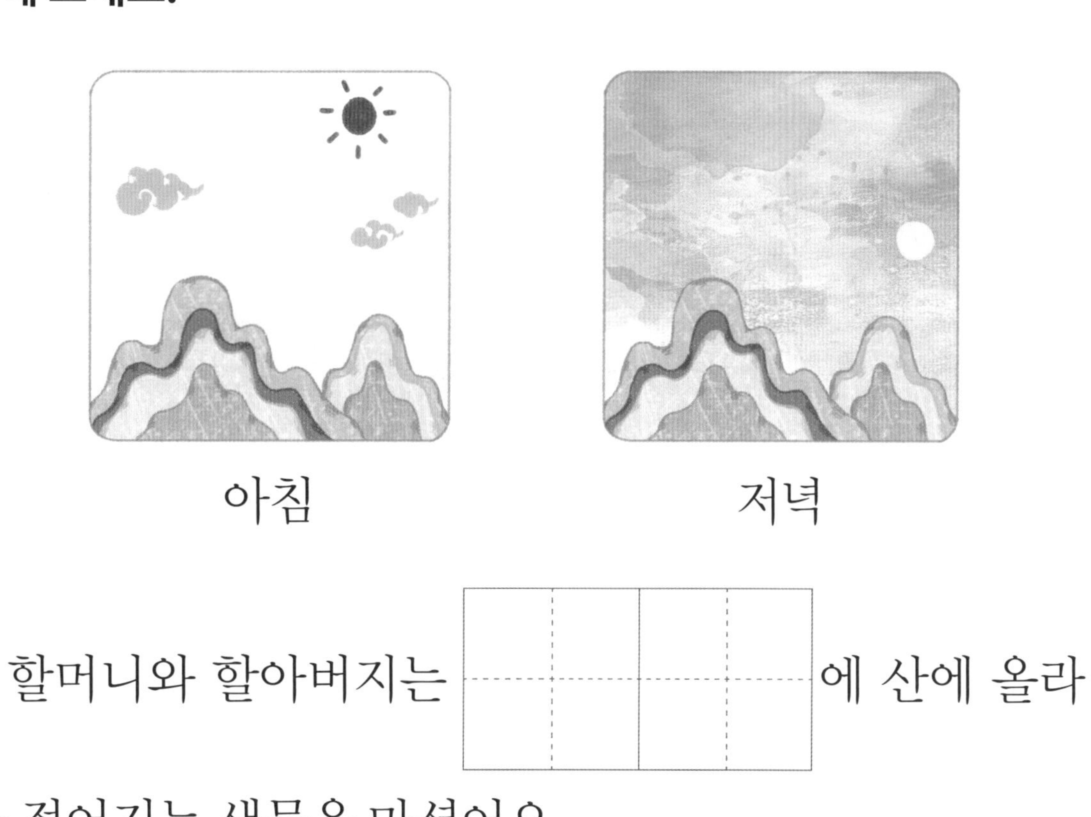

아침 저녁

할머니와 할아버지는 [ ] 에 산에 올라가 젊어지는 샘물을 마셨어요.

2 할머니와 할아버지는 젊어지는 샘물을 마시고 누가 되었는지 선으로 이으세요.

할머니 •

• 새신랑

할아버지 •

• 새색시

독해 ❷

젊어지는 샘물 (6)

어느 가을날 이웃 마을에 사는 욕심쟁이 할아버지가 할아버지네 집에 놀러 왔어.

욕심쟁이 할아버지는 젊은 할아버지의 모습을 보고 깜짝 놀랐지.

할아버지는 욕심쟁이 할아버지에게 젊어지는 샘물에 대해 이야기해 주었어. 그리고 샘물이 있는 곳을 자세히 가르쳐 주었지.

원리 콕 계절을 나타내는 말은 무엇인가요?

어느 집 / 가을날 이에요.

3 할아버지의 집에 누가 놀러 왔는지 ○ 하세요.

욕심쟁이 할머니

욕심쟁이 할아버지

4 다음으로 보아 할아버지에게 어울리는 말은 무엇인지 ○ 하세요.

할아버지는 젊어지는 샘물이 있는 곳을 자세히 가르쳐 주었어요.

착해요.

못됐어요.

독해 ❶

젊어지는 샘물 (7)

욕심쟁이 할아버지는 얼른 숲속으로 달려갔어.

"후후후, 샘물을 많이 마시면 그 영감보다 더 젊어지겠지."

욕심쟁이 할아버지는 바가지로 샘물을 마구 퍼마셨어. 벌컥 벌컥 벌컥 벌컥. 욕심쟁이 할아버지는 샘물을 마시고 또 마셨어. 그리고 곧 코를 골며 깊은 잠에 빠져들었지.

원리 콕 먼저 일어난 일은 무엇인가요?

욕심쟁이 할아버지가 샘물을 마셨어요. / 깊은 잠에 빠져들었어요.

1 나중에 일어난 일을 찾아 ○ 하세요.

욕심쟁이 할아버지가
숲속으로
달려갔어요.

욕심쟁이 할아버지가
샘물을 마구
퍼마셨어요.

2 욕심쟁이 할아버지와 비슷한 친구에 ○ 하세요.

동생과 함께 장난감을
가지고 논 친구

동생은 주지 않고 혼자
과자를 다 먹은 친구

독해 ❷

젊어지는 샘물 (8)

다음 날 아침이 되어도 욕심쟁이 할아버지는 돌아오지 않았어. 할아버지와 할머니는 걱정이 되어서 젊어지는 샘물 주위를 둘러보았어. 그런데 욕심쟁이 할아버지를 빼닮은* 갓난아기가 울고 있었어. 욕심쟁이 할아버지가 샘물을 너무 많이 마신 거야.

할아버지와 할머니는 아기를 집으로 데려와 정성껏 키웠어. 아기도 무럭무럭 잘 자랐단다.

* **빼닮은** 얼굴이 그대로 닮은.

나중에 일어난 일은 무엇인가요?

욕심쟁이 할아버지가 아기가 되었어요. /

할아버지와 할머니가 아기를 집으로 데려와 키웠어요.

3 '젊어지는 샘물'을 읽고, 생각을 알맞게 말한 친구의 ☆에 색칠하세요.

나도 욕심쟁이가 되면 좋겠어.

지나치게 욕심을 부리면 안 돼.

앞으로 바닷가에 가지 않겠어.

이야기 쏙쏙

동영상 보기

동영상을 보고 글의 중요한 내용을 따라 쓰세요.

• [젊어지는] [샘물]을 마시고 할아버지와 할머니가 젊어졌습니다.

• [욕심쟁이] 할아버지는 젊어지는 샘물을 너무 많이 마셔서 [아기]가 되었습니다.

4주

실린 작품:
개미와 베짱이

위 그림에서 아래의 내용들을 찾아 ◯ 하세요.

  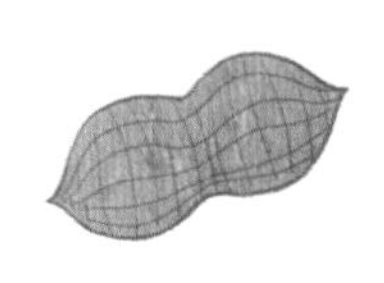  

1일

독해 원리 ❶

'원인(일이 일어난 까닭)' 알기

원인(사람이 옷의 단추를 잠근 까닭)

바람은 사람을 향해 입김을 불었습니다.

사람은 옷의 단추를 잠갔습니다.

1 '원인'을 찾아 [ ]에 색칠하세요.

서빈이는 배가 고팠어요. 그래서 냉장고의 문을 열었어요. 서빈이는 무엇을 먹을까 생각했어요.

독해 원리 ❷

'결과(원인 때문에 일어난 일)' 알기

사람의 옷이 벗겨지지 않자, 바람은 더욱 세게 입김을 불었습니다.

사람은 옷깃을 꼭 붙잡았습니다.

결과(바람이 더욱 세게 입김을 불었기 때문에 일어난 일)

2 '결과'를 찾아 [ ] 에 색칠하세요.

나는 할머니가 보고 싶었어요. 그래서 할머니께 전화를 했어요. 할머니가 반가운 목소리로 전화를 받아 주셨어요.

1일 독해 원리 ❸

'알맞은 목소리'로 이야기 읽기

사람의 표정이 밝아졌습니다.

"아, 따뜻해!" ····· 기분 좋은 목소리로 읽기

3 '기쁜 목소리'로 읽어야 하는 곳을 찾아 [ ]에 색칠하세요.

저녁때 아빠가 집에 오셨어요.

"아빠, 안녕히 다녀오셨어요?"

재유가 아빠께 인사를 했어요.

'가르침을 알 수 있는 부분' 찾기

더워지자 그 사람은 옷을 벗었습니다.

"바람아, 때로는 힘보다 부드러운 햇빛이

더 강할 수도 있는 거야." ‥ 가르침을 알 수 있는 부분

4 '가르침을 알 수 있는 부분'을 찾아 [ ] 에 색칠하세요.

이가 썩어서 어제 치과에서 치료를 받았는데 [많이 아팠어요.]

[이제부터는 이를 잘 닦아야겠어요.]

독해 ❶

개미와 베짱이 (1)

햇빛이 아주 강한 여름, 개미는 땀을 뻘뻘 흘리며 쉬지 않고 열심히 일했습니다. 추운 겨울에 먹을 음식을 마련*하느라 정신이 없을 정도였습니다.

개미가 이렇게 열심히 일을 하고 있을 때, 베짱이는 나무 그늘에 앉아 노래만 불렀습니다.

'어리석은 개미 녀석, 저렇게 일만 해서 뭘 한담?'

* **마련하느라** 물건을 이리저리 준비하느라.

개미가 열심히 일한 까닭은 무엇인가요?

추운 겨울에 먹을 [물] / [음식] 을 마련하려고

1 누가누가 나오는지 모두 찾아 색칠하세요.

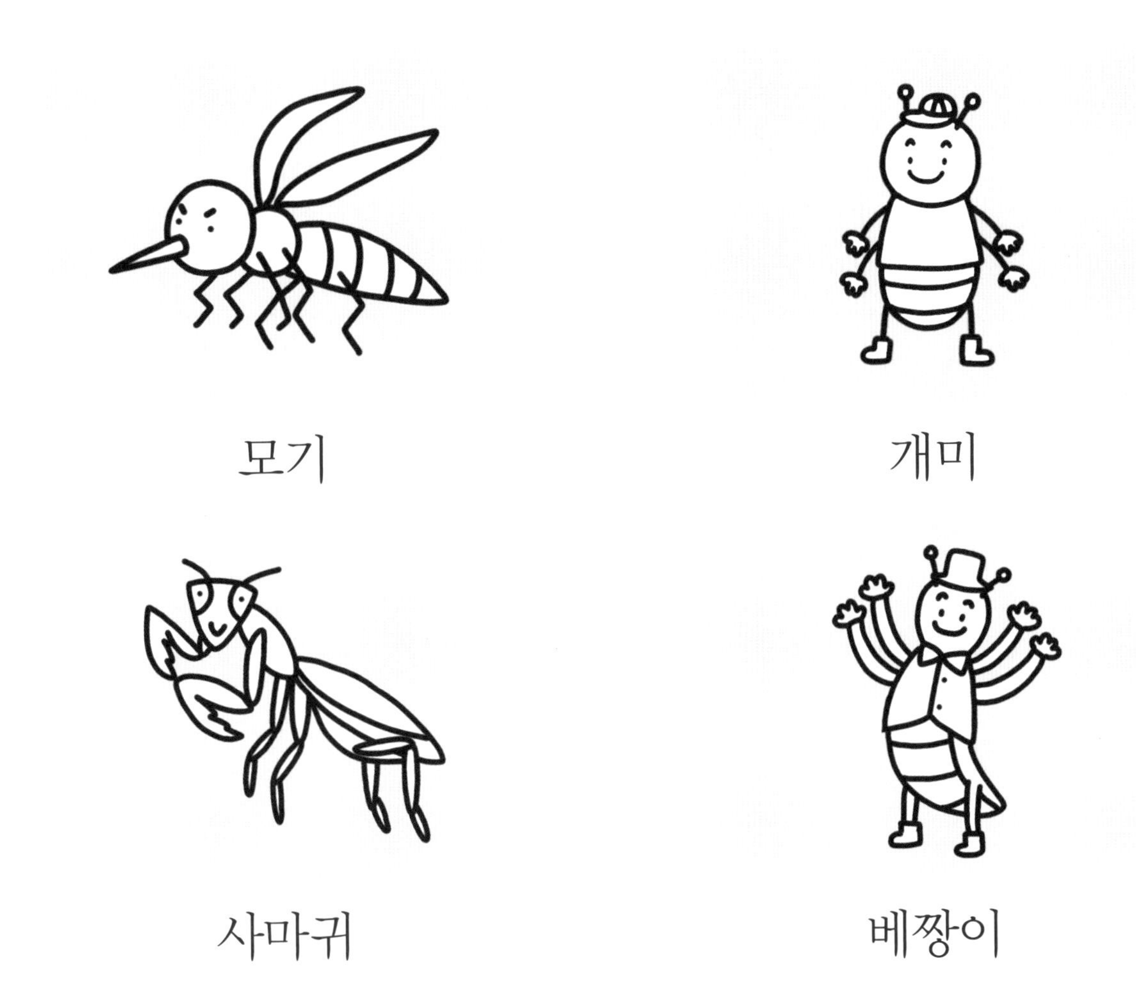

2 개미에게 어울리는 말은 무엇인지 ○ 하세요.

부지런해요.

잘난 체해요.

독해 ❷

개미와 베짱이 (2)

베짱이는 바람 부는 나무 그늘에서 푸른 하늘을 보며 신나게 노래를 불렀습니다. 하지만 개미는 열심히 일만 했습니다. 보다 못한 베짱이가 개미에게 말했습니다.

"개미야, 먹을 것이 저렇게 많이 있는데 왜 그렇게 힘들게 일을 하니? 나처럼 노래나 부르면서 노는 게 어때?"

원리 콕 베짱이가 노래를 부르며 노는 까닭은 무엇인가요?

입을 것 / 먹을 것 이 많이 있어서

3 개미와 베짱이가 어떤 행동을 했는지 선으로 이으세요.

개미 •　　　　　　　　• 노래만 불렀어요.

베짱이 •　　　　　　　　• 열심히 일했어요.

4 베짱이의 생각은 무엇인지 ○ 하세요.

베짱이는 먹을 것이
없어질까 봐
걱정했어요.

베짱이는 먹을 것이
많아서 놀아도
된다고 생각했어요.

독해 ❶

3일 개미와 베짱이 (3)

그러자 가만히 듣고 있던 개미가 타이르는* 목소리로 말했습니다.

"베짱이야, 곧 눈이 펄펄 내리는 겨울이 와. 겨울에는 음식을 모을 수가 없어. 그래서 겨울에 걱정 없이 음식을 먹으려면 지금부터 준비를 해야 해. 너도 그렇게 놀지만 말고 겨울 준비를 하는 게 좋을 거야."

* **타이르는** 잘못을 알도록 좋게 말하는.

원리 콕 개미의 말은 어떤 목소리로 읽어야 할까요?

슬퍼하는 / 타이르는 목소리로 읽어요.

1 개미는 어떤 계절을 준비하기 위해 일을 하고 있는지 ○ 하세요.

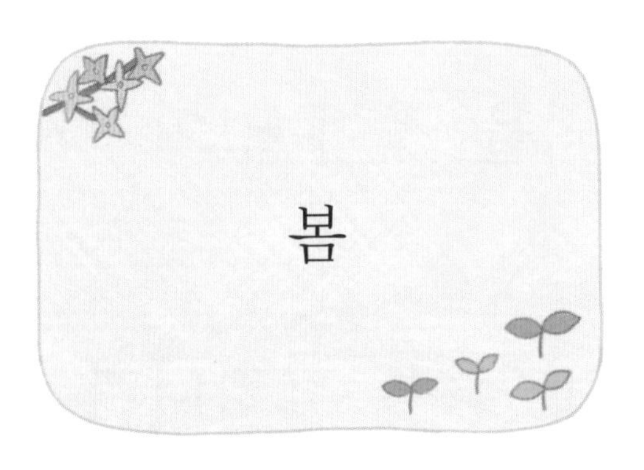

2 개미의 생각으로 알맞은 것에 ○ 하세요.

나도 베짱이처럼
노래를 부르며
놀고 싶어.

베짱이도 지금부터
겨울에 먹을 음식을
준비해야 해.

3일 독해 ❷

개미와 베짱이 (4)

베짱이는 겨울이 되어도 먹을 것이 없어지지 않을 것이라고 생각했습니다.

"개미야, 먹을 건 없어지지 않아. 그러니까 걱정 말고 나하고 놀자니까?"

베짱이가 웃으며 말했습니다.

"너나 열심히 놀아. 나는 일해야 하니까."

개미는 쉬지 않고 계속 일을 했습니다.

원리 콕 베짱이의 말은 어떤 목소리로 읽어야 할까요?

웃는 / 우는 목소리로 읽어요.

3 베짱이는 개미에게 어떻게 하자고 말했는지 ◯ 하세요.

나와 같이
일을 하자.

걱정 말고
나하고 놀자.

4 베짱이에게 어울리는 말에 ◯ 하세요.

게을러요.

욕심이 많아요.

독해 ❶

개미와 베짱이 (5)

어느덧 낙엽* 지는 가을이 지나고 겨울이 왔습니다. 찬바람이 불어 날씨가 매우 추웠습니다.

숲은 꽁꽁 얼어붙고, 눈이 수북하게* 쌓여 먹을 것이 없었습니다.

여름 내내 열심히 일해서 먹을 것을 잔뜩 준비한 개미는 아무리 추워도 걱정이 없었습니다.

* **낙엽** 나무에서 잎이 떨어지는 것.
* **수북하게** 담긴 물건이 불룩하게 많게.

원리 콕 개미가 여름 내내 열심히 일한 결과는 무엇인가요?

아무리 추워도 음식 / 걱정 이 없었어요.

1 겨울이 오자 날씨가 어떻게 변했는지 ○ 하세요.

찬바람이 불고
눈이 쌓였어요.

따뜻한 바람이 불고
꽃이 피었어요.

2 개미가 걱정이 없는 까닭은 무엇인지 ○ 하세요.

새로 산 난로
덕분에 따뜻해서

여름에 먹을 것을
잔뜩 준비해 두어서

독해 ❷

개미와 베짱이 (6)

그러나 겨울 준비를 하지 않고 놀기만 한 베짱이는 몹시 배가 고팠습니다. 할 수 없이 베짱이는 개미를 찾아갔습니다.

"개, 개미야. 배가 고파. 먹을 것 좀 나누어 주지 않겠니?"

베짱이는 기어들어 가는 목소리로 개미에게 부탁했습니다.

베짱이가 몹시 배가 고팠기 때문에 일어난 일은 무엇인가요?

개미에게 [입을 것] / [먹을 것] 을 나누어 달라고 했어요.

3 베짱이는 누구를 찾아갔는지 ◯ 하고, 빈칸에 쓰세요.

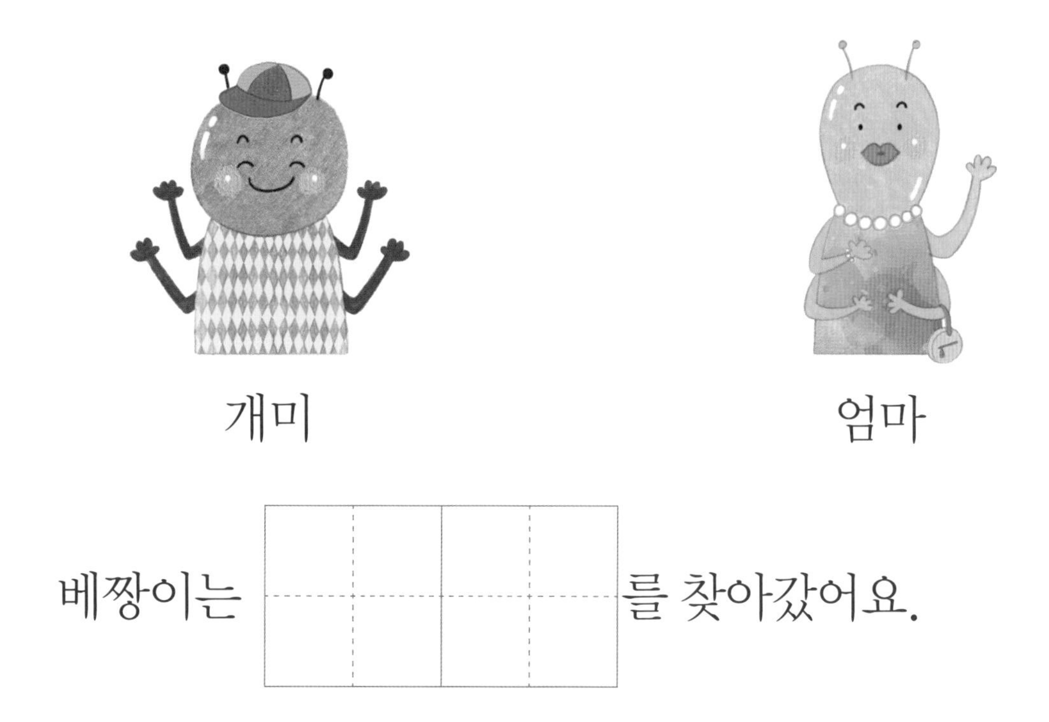

베짱이는 ☐☐ 를 찾아갔어요.

4 다음 베짱이의 말은 어떤 목소리로 읽어야 하는지 ◯ 하세요.

"개, 개미야. 배가 고파. 먹을 것 좀 나누어 주지 않겠니?"

크고 당당한 목소리

기어들어 가는 목소리

독해 ❶

5일

개미와 베짱이 (7)

그러자 개미가 말했습니다.

“그러게 여름에 놀지만 말고 겨울에 먹을 음식을 준비하지 그랬어?”

“너도 알겠지만 나는 노래를 불러야 하기 때문에 겨울 음식을 준비할 시간이 없었단다.”

베짱이의 대답에 개미는 웃음도 나오지 않았습니다.

원리 콕 베짱이가 겨울 음식을 준비할 시간이 없었던 까닭은 무엇인가요?

노래 / 친구 를 불러야 하기 때문에

1 베짱이의 대답에 개미는 어떤 표정을 지었는지 ○ 하세요.

웃었어요.

웃지 않았어요.

2 '개미와 베짱이'를 읽고, 생각을 알맞게 말한 친구의 ☆에 색칠하세요.

베짱이처럼
계속 놀아야 한다는
가르침을 얻었어.

개미처럼 앞일을
준비해야 한다는
가르침을 얻었어.

독해 ❷

개미와 베짱이 (8)

"그랬구나. 그럼 여름에 실컷 노래를 불렀으니까 겨울에는 춤을 추어야지. 안 그래?"

베짱이는 얼굴을 붉힌* 채 돌아가고 말았습니다.

그해 겨울, 베짱이는 배를 움켜쥔 채 추위에 떨어야 했습니다.

* **붉힌** 화가 나거나 부끄러워 얼굴을 붉게 한.

가르침을 알 수 있는 부분은 어디인가요?

베짱이는 겨울에 춤을 추었습니다. /

베짱이는 배를 움켜쥔 채 추위에 떨어야 했습니다.

3 베짱이가 여름 내내 놀기만 한 결과로 맞으면 ○에, 틀리면 ×에 색칠하세요.

베짱이는 겨울이 되자
춥고 배가 고팠어요.

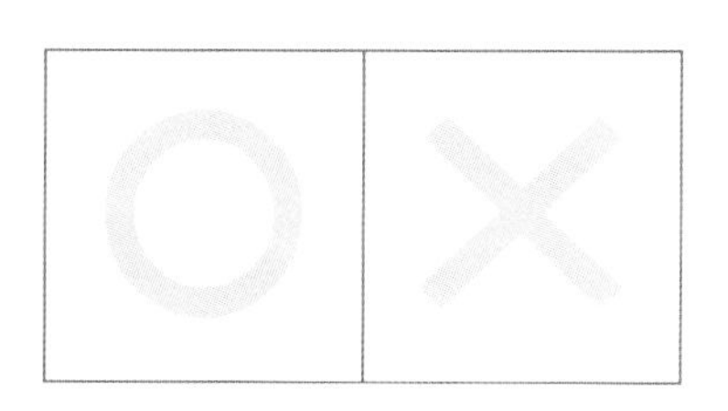

베짱이가 개미의 집에서
함께 지내게 됐어요.

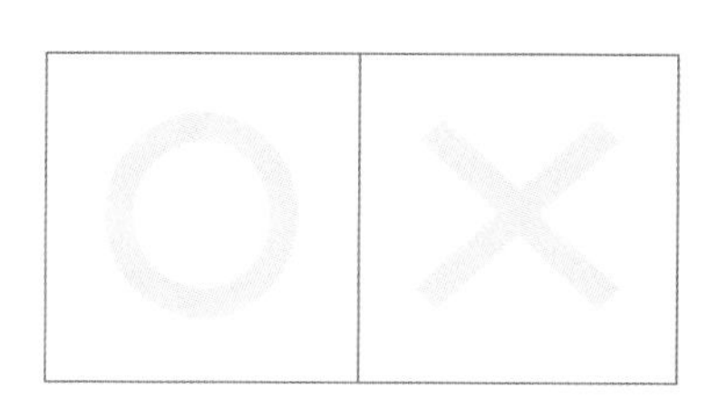

이야기 쏙쏙

동영상 보기

동영상을 보고 글의 중요한 내용을 따라 쓰세요.

- 여름 내내 개미는 열심히 일을 하고, 베짱이는 노래만 불렀습니다.
- 그해 겨울, 베짱이는 배를 움켜쥔 채 추위에 떨어야 했습니다.

5주

실린 작품:
내가 잘할 수 있을까?

위 그림에서 아래의 내용들을 찾아 ◯ 하세요.

1일 독해 원리 ❶

'소리를 흉내 내는 말' 알기

소리를 흉내 내는 말

"나도 엄마 따라 갈래요."

콩이는 [징징] 떼를 써요.

1 '소리를 흉내 내는 말'을 찾아 [　　] 에 색칠하세요.

예솔이가 [강아지] 와 산책을 해요. 강아지는 기분이 좋아서 [멍멍] 짖어요. 예솔이가 빙그레 웃어요.

'모양을 흉내 내는 말' 알기

모양을 흉내 내는 말

폴짝폴짝 뛰는 콩이 앞에 아기 다람쥐가 엄마를 찾으며 훌쩍훌쩍.

2 **'모양을 흉내 내는 말'을 찾아 [ ] 에 색칠하세요.**

가을이 왔어요. 코스모스가 바람에 한들한들 흔들려요. 나비는 팔랑팔랑 날아다녀요.

1일 독해 원리 ❸

글과 그림을 보고 내용 짐작하기

아기 다람쥐가 엄마 다람쥐를 만났구나. ---- 글과 그림을 보고 짐작한 내용

3 글과 그림을 보고 내용을 알맞게 짐작한 친구에 ○ 하세요.

규민이가 생일 선물을 받았나 봐.

규민이가 친구의 선물을 산 것 같아.

독해 원리 ❹

'생각이나 느낌' 떠올리기

생각이나 느낌 ---- 콩이도 엄마를 만나서 기뻤을 것 같아.

4 생각이나 느낌을 알맞게 떠올린 친구에 ◯ 하세요.

나나는 정말 씩씩한 것 같아.

나나가 넘어져서 많이 아프겠다.

독해 ❶

2일 내가 잘할 수 있을까? (1)

"내가 잘할 수 있을까?"

아기 거미 대롱이는 꽃잎을 콩콩 빻*아 물감을 만들어 나뭇잎에 강아지풀로 그림을 그리기 시작했어요. 엄마의 생일 선물로 카드를 만들어 드릴 거예요.

그때 심술쟁이 바람이 물감을 휙 건드렸어요. 물감이 나뭇잎에 좍 쏟아지고 말았지요.

"앗, 어떡해! 생일 카드가 엉망이 됐네."

* **빻아** 물기가 없는 것을 찧어서 가루로 만들어.

꽃잎을 빻는 소리를 흉내 내는 말은 무엇인가요?

콩콩 / 물감 이에요.

1 대롱이는 누구인지 ○ 하고, 빈칸에 쓰세요.

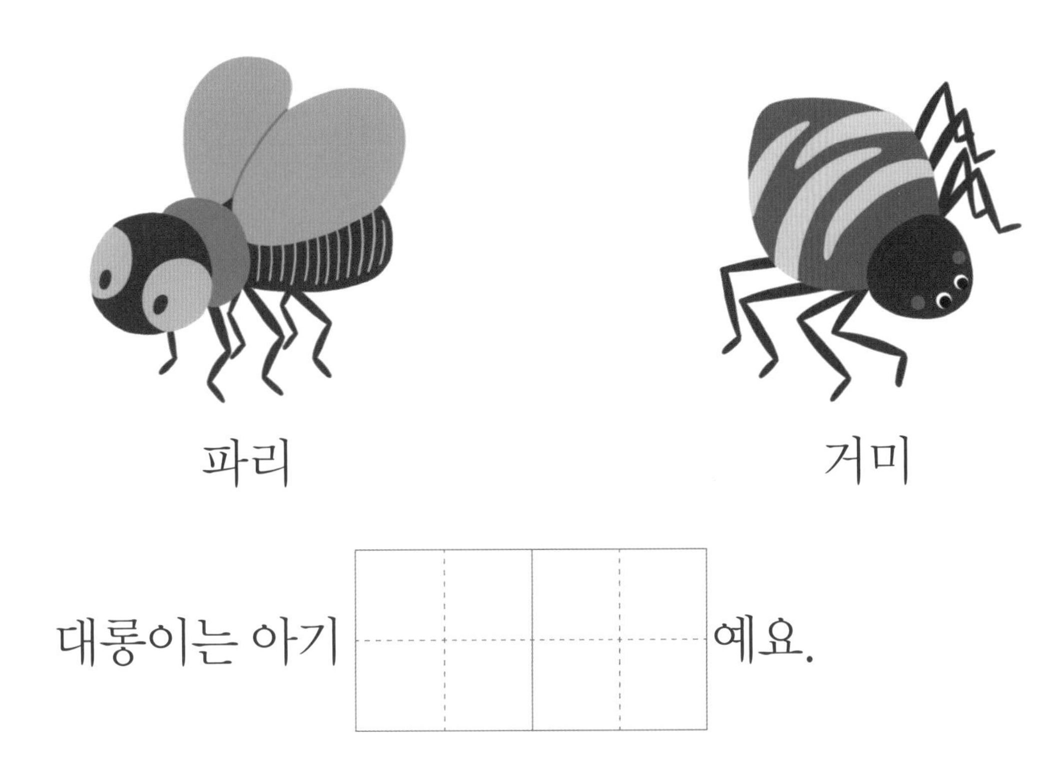

대롱이는 아기 ☐☐ 예요.

2 대롱이의 생일 카드는 왜 엉망이 되었는지 ○ 하세요.

심술쟁이 바람이
물감을 건드려서

꽃잎이 잘
빻아지지 않아서

독해 ❷

내가 잘할 수 있을까? (2)

대롱이는 꽃잎을 똑똑 따서 바구니에 담았어요. 그리고 가는 풀의 줄기*에 꽃잎을 꿰었지요. 엄마한테 목걸이를 만들어 드릴 거예요.

이번에는 말썽꾸러기 쐐기풀이 대롱이를 슬쩍 건드렸어요. 대롱이가 쐐기풀에 찔려 몸을 움츠리는 바람에 줄기가 뚝 끊어지고 말았지요.

"나는 왜 잘하는 게 하나도 없을까?"

* **줄기** 식물의 뼈대가 되는 긴 부분.

원리 콕 풀의 줄기가 끊어지는 소리를 흉내 내는 말은 무엇인가요?

뚝 / 쐐기풀 이에요.

3 대롱이가 꽃잎을 따는 소리를 흉내 내는 말은 무엇인지 ◯ 하세요.

퐁퐁　　　　꾹꾹　　　　똑똑

4 글과 그림을 보고 짐작할 수 있는 내용은 무엇인지 ◯ 하세요.

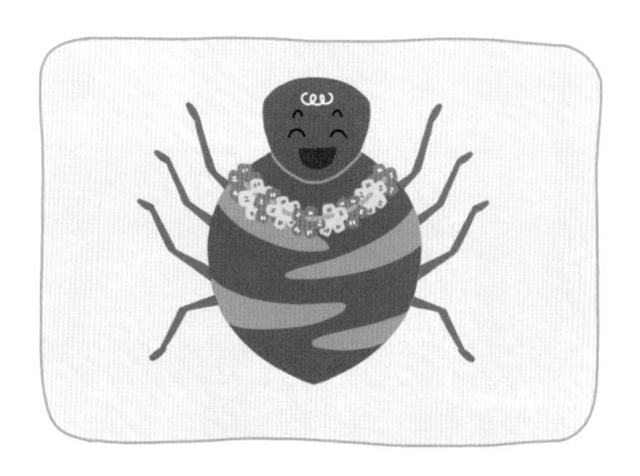

대롱이는 자신이 쓸
예쁜 목걸이를
만들었어요.

대롱이는 엄마한테
드릴 생일 선물을
망쳐 버렸어요.

3일

독해 ❶

내가 잘할 수 있을까? (3)

그런데 저쪽에서 커다란 말벌이 아기 꿀벌의 꿀통을 빼앗으려고 심술*을 부리고 있었어요. 깜짝 놀란 대롱이는 거미줄을 만들기 시작했지요.

쭉쭉 쫙쫙! 쭉쭉 쫙쫙!

그리고 말벌에게 거미줄을 휙 던졌어요.

"으악, 말벌 살려!"

대롱이와 아기 꿀벌은 꽃밭으로 얼른 도망쳤어요.

* **심술** 남을 괴롭히거나 남이 잘되는 것을 미워하는 못된 마음.

대롱이가 거미줄을 만드는 소리를 흉내 내는 말은 무엇인가요?

휙 / 쭉쭉 쫙쫙 이에요.

1 대롱이는 누구누구를 보았는지 모두 ○ 하세요.

말벌

친구 거미

엄마 꿀벌

아기 꿀벌

2 대롱이는 어떻게 아기 꿀벌을 구했는지 ○ 하세요.

말벌에게 꿀통을 던져서
아기 꿀벌을 구했어요.

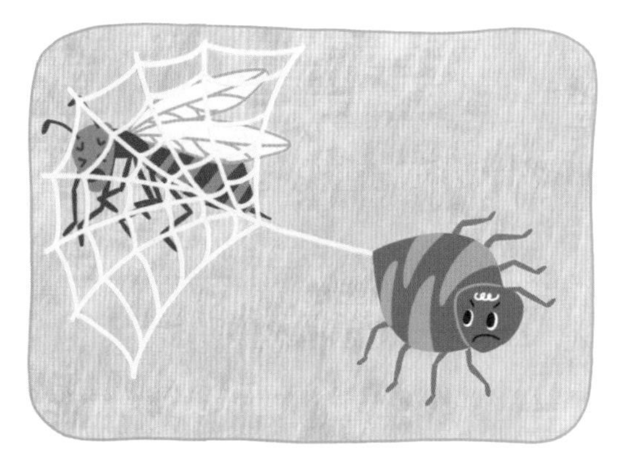

말벌에게 거미줄을 던져서
아기 꿀벌을 구했어요.

3일

독해 ❷

내가 잘할 수 있을까? (4)

그런데 저쪽에서 덩치 큰 사마귀가 날카로운 앞 다리를 쓱쓱 비비면서 나비에게 다가가고 있었어요. 대롱이는 서둘러 거미줄을 만들었어요.

쭉쭉 쫙쫙! 쭉쭉 쫙쫙!

그리고 키 큰 풀잎 위로 올라가 거미줄을 휙 던졌어요. 거미줄이 사마귀 위로 툭 떨어졌지요.

세 친구는 버둥거리는 사마귀를 뒤로하고 꽃밭을 빠져나왔어요.

원리 콕 글과 그림을 보고 짐작할 수 있는 내용은 무엇인가요?

대롱이가 [다리] / [거미줄]로 나비를 구했어요.

3 사마귀가 앞다리를 비비는 모양을 흉내 내는 말에 ◯ 하세요.

툭　　　　쓱쓱　　　　쭉쭉

4 '내가 잘할 수 있을까?'를 읽고 생각이나 느낌을 알맞게 떠올린 친구의 ☆에 색칠하세요.

대롱이는 나비가 무서웠을 것 같아.

사마귀랑 나비는 친한 친구인 것 같아.

나비는 대롱이에게 고마운 마음이 들었을 거야.

독해 ❶

4일

내가 잘할 수 있을까? (5)

세 친구가 시냇가를 지나는데, 다급한 소리가 들려왔어요.

"살려 주세요! 누구 없어요?"

개미가 물속에 빠져 소리치고 있었어요.

아기 꿀벌과 나비는 대롱이를 잡고 하늘로 붕 날아올랐어요. 대롱이는 얼른 튼튼한 거미줄을 개미에게 내려보내 주었지요.

"대롱아, 고마워."

원리 콕 하늘로 날아오르는 모양을 흉내 내는 말은 무엇인가요?

붕 / 얼른 이에요.

1 개미는 어디에서 살려 달라고 말했는지 알맞은 것에 ○ 하세요.

2 글과 그림을 보고 짐작할 수 있는 내용은 무엇인지 ○ 하세요.

대롱이는 헤엄을
잘 쳐요.

대롱이가 거미줄로
개미를 구해 줬어요.

독해 ❷

4일 내가 잘할 수 있을까? (6)

대롱이는 뭐가 부끄러운지 얼굴이 빨개졌어요.
"그냥 엉덩이에서 거미줄을 뽑은 것뿐인데, 뭐.
난 아무것도 잘하는 게 없는 아기 거미인걸."
"무슨 말이야? 네가 잘하는 게 왜 없어?"
아기 꿀벌과 나비가 깜짝 놀라 물었어요.
"이제 곧 엄마 생일인데 난 드릴 게 아무것도 없거든. 생일 카드도, 선물도 모두 망쳐 버렸어."
대롱이는 눈물을 글썽거렸어요.

원리 콕 글과 그림을 보고 짐작할 수 있는 내용은 무엇인가요?

대롱이는 자기가 잘하는 게 [없다 / 많다]고 생각해요.

3 다음은 누가 한 말인지 알맞게 선으로 이으세요.

"무슨 말이야? 네가 잘하는 게 왜 없어?"

"난 아무것도 잘하는 게 없는 아기 거미인걸."

4 대롱이는 왜 스스로 잘하는 게 없다고 생각하는지 ○ 하세요.

엉덩이에서 거미줄을 잘 뽑아내지 못해서

엄마한테 드릴 생일 카드와 선물을 망쳐서

독해 ❶

내가 잘할 수 있을까? (7)

아기 꿀벌과 나비와 개미는 머리를 맞대고 한참을 작은 목소리로 이야기했어요. 쏙닥쏙닥! 쏙닥쏙닥!

"대롱아, 우리가 생각해 봤는데 네가 가장 잘하는 걸로 선물하는 게 좋을 것 같아."

풀*이 죽은 대롱이에게 개미가 쏙닥쏙닥 선물 이야기를 들려주었어요.

* 풀 씩씩하고 활발함.

작은 목소리로 이야기하는 소리를 흉내 내는 말은 무엇인가요?

한참 / 쏙닥쏙닥 이에요.

1 '쏙닥쏙닥'과 바꾸어 쓸 수 있는 말은 무엇인지 ○ 하세요.

퐁당퐁당: 작고 단단한 물건이 뒤를 이어 물에 빠질 때 나는 소리를 흉내 내는 말.

쑥덕쑥덕: 남이 알아듣지 못하도록 작은 목소리로 자기들끼리만 이야기하는 소리를 흉내 내는 말.

2 '내가 잘할 수 있을까?'를 읽고, 생각이나 느낌을 알맞게 떠올린 친구의 ☆에 색칠하세요.

대롱이가 친구들에게 비싼 선물을 사 주면 좋겠어.

대롱이가 자신이 잘하는 일이 무엇인지 빨리 깨달았으면 좋겠어.

독해 ❷

내가 잘할 수 있을까? (8)

그날부터 대롱이는 매우 바빴답니다. 대롱이는 엄마의 생일 선물로 무엇을 만들었을까요?

"어머나! 이게 우리 대롱이 솜씨*야? 멋지구나! 그물 침대에서 엄마가 편히 쉴 수 있겠는걸."

"거미줄은 내가 최고로 잘 만드는 것 같아요!"

대롱이가 어깨를 으쓱거리며 말했어요.

* **솜씨** 손으로 무엇을 멋지게 만드는 것.

이 이야기를 읽고 가진 생각이나 느낌으로 알맞은 것은 무엇인가요?

누구나 대롱이처럼 잘하는 / 못하는 것이 있어요.

3 대롱이가 가장 잘하는 일은 무엇인지 ○ 하세요.

종이접기

그림 그리기

거미줄 만들기

케이크 만들기

이야기 쏙쏙

동영상 보기

동영상을 보고 글의 중요한 내용을 따라 쓰세요.

- 아기 거미 [대롱이]는 스스로 잘하는 게 없다고 생각했지만 거미줄로 아기 꿀벌, 나비, 개미를 구했습니다.
- 대롱이는 자신이 [거미줄]을 잘 만든다는 것을 깨달았습니다.

1주 1일

독해 원리 .... 10~13쪽

1 지우

2 "와! 털이 정말 부드러워."

3 공원

4 태리가 언니랑 바닷가에서 물놀이를 해요.

1주 2일

독해 ❶ .... 14~15쪽

'나'

1

그림 그리는 시간

2

크레파스가 부러져서

독해 ❷ .... 16~17쪽

말

1주 3일

독해 ❶ .... 18~19쪽

아야

1

무릎

2

친절해요.

독해 ❷ .... 20~21쪽

약국

3 감사합니다.

4

'나'는 인사를 하지 못했어요. ○

'나'는 칭찬을 많이 받았어요. ×

1주 4일

독해 ❶ .... 22~23쪽

원리 콕 아침

1 할머니

할	머	니

2 '내'가 할머니께 인사를 하지 않아서

독해 ❷ .... 24~25쪽

원리 콕 배

3 말

4 밖으로 나가고 싶어서

1주 5일

독해 ❶ .... 26~27쪽

원리 콕 미안해

1 동생

2 시원해요.

독해 ❷ .... 28~29쪽

원리 콕 안녕하세요

3 사람들에게 인사를 잘해야겠어.

7세 초능력 유아 독해 2단계 정답

2주 1일

독해 원리 .... 32~35쪽

1 무서워.

2 아빠는 활짝 웃으셨어요.

3 '나도 동물원에 가고 싶다.'

4 신나요.

2주 2일

독해 ❶ .... 36~37쪽

소리쳤어요

1

거 인

거인

2

화가 났어요.

독해 ❷ .... 38~39쪽

'왜 이렇게 봄이 늦게 오는지 모르겠군.'

3

정원의 새들을 내쫓았어요.

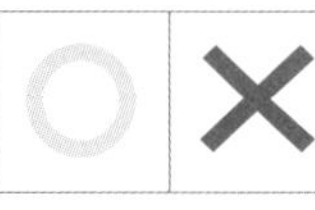

정원 주위에 높은 담을 쌓았어요.

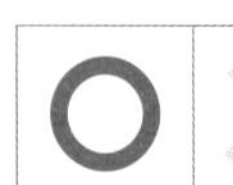

4 거인은 봄을 기다리고 있어요.

2주 3일

독해 ❶ .... 40~41쪽

쓸쓸해요

1

겨울

2 기대돼요.

독해 ❷ .... 42~43쪽

즐거워요

3

나무마다 앉아 있었어요.

담에 난 작은 구멍으로 기어들어 왔어요.

4 

아이들이 없어서

2주 4일

독해 ❶ .... 44~45쪽

 울며

1 

작은 아이

2 

속상해요.

독해 ❷ .... 46~47쪽

 기뻐요

3 

나무 위에 올려 주었어요.

4 

기뻐요.

2주 5일

독해 ❶ .... 48~49쪽

 아름다운

1 

늙고 약해졌어요.

2 

거인은 아이들을 사랑해요.

독해 ❷ .... 50~51쪽

원리 콕 기쁘구나

3 작은 아이와 천국의 정원으로 떠나는 장면이 감동적이야.

3주 1일

독해 원리 ········ 54~57쪽

1 아침

2 추운 겨울날

3 서율이는 아침에 친구와 놀이터에서 놀았어요.

4 낮에는 동생과 장난감을 가지고 놀았어요.

3주 2일

독해 ❶ ········ 58~59쪽

옛날

1

할머니 , 할아버지

2

감사하는 마음으로
행복하게 살았어요.

독해 ❷ ········ 60~61쪽

여름날

3

샘물

샘	물

4

할아버지가 두 손 가득
샘물을 담아 마셨어요.

3주 3일

독해 ❶ ········ 62~63쪽

원리콕 저녁 무렵

1

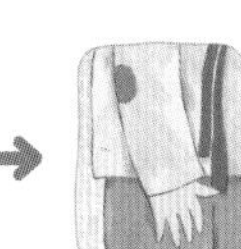
굽었던 허리가
펴졌어요.

2

젊어지는 샘물을 마셔서

독해 ❷ ········ 64~65쪽

원리콕 젊어진 할아버지가 할머니의 손을 잡았어요.

3

쉬지 않고

4

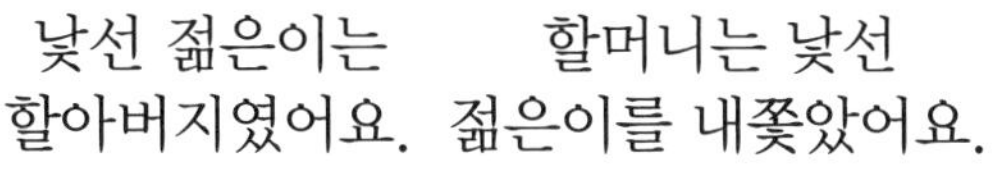

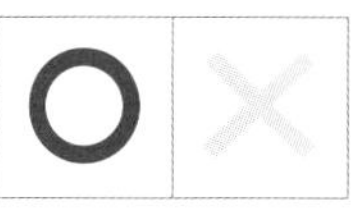

3주 4일

독해 ❶ ······ 66~67쪽

 젊어졌어요.

1

아침

아	침

2

할머니

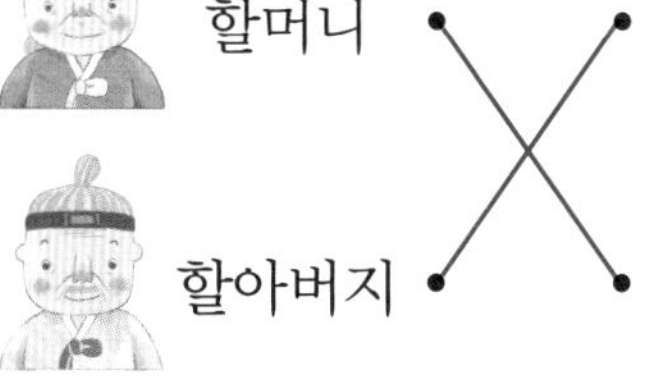

할아버지

새신랑

새색시

독해 ❷ ······ 68~69쪽

 가을날

3

욕심쟁이 할아버지

4 착해요.

3주 5일

독해 ❶ ······ 70~71쪽

 샘물을 마셨어요.

1

욕심쟁이 할아버지가 샘물을 마구 퍼마셨어요.

2

동생은 주지 않고 혼자 과자를 다 먹은 친구

독해 ❷ ······ 72~73쪽

 할아버지와 할머니가 아기를 집으로 데려와 키웠어요.

3

지나치게 욕심을 부리면 안 돼.

7세 초능력 유아 독해 2단계 정답

4주 1일

독해 원리 .... 76~79쪽

1 서빈이는 배가 고팠어요.

2 할머니께 전화를 했어요.

3 "아빠, 안녕히 다녀오셨어요?"

4 이제부터는 이를 잘 닦아야겠어요.

4주 2일

독해 ❶ .... 80~81쪽

음식

1

개미

베짱이

2 부지런해요.

독해 ❷ .... 82~83쪽

먹을 것

3

개미 • • 노래만 불렀어요.

베짱이 • • 열심히 일했어요.

4

베짱이는 먹을 것이
많아서 놀아도
된다고 생각했어요.

4주 3일

독해 ❶ .... 84~85쪽

타이르는

1

2

베짱이도 지금부터
겨울에 먹을 음식을
준비해야 해.

독해 ❷ .... 86~87쪽

웃는

3 걱정 말고 나하고 놀자.

4 게을러요.

4주 4일

독해 ❶ 88~89쪽

 걱정

1

찬바람이 불고
눈이 쌓였어요.

2

여름에 먹을 것을
잔뜩 준비해 두어서

독해 ❷ 90~91쪽

 먹을 것

3

개미

개	미

4

기어들어 가는
목소리

4주 5일

독해 ❶ 92~93쪽

 노래

1

웃지 않았어요.

2

개미처럼 앞일을
준비해야 한다는
가르침을 얻었어.

독해 ❷ 94~95쪽

 베짱이는 배를 움켜쥔 채 추위에 떨어야 했습니다.

3

베짱이는 겨울이
되자 춥고
배가 고팠어요.

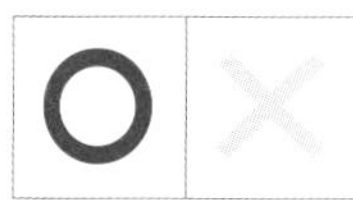

베짱이가 개미의
집에서 함께
지내게 됐어요.

7세 초능력 유아 독해 2단계 정답

5주 1일

독해 원리 .... 98~101쪽

1 멍멍

2 팔랑팔랑

3 규민이가 생일 선물을 받았나 봐.

4 나나가 넘어져서 많이 아프겠다.

5주 2일

독해 ❶ .... 102~103쪽

콩콩

1

거미

거	미

2

심술쟁이 바람이
물감을 건드려서

독해 ❷ .... 104~105쪽

뚝

3 똑똑

4

대롱이는 엄마한테
드릴 생일 선물을
망쳐 버렸어요.

5주 3일

독해 ❶ .... 106~107쪽

쭉쭉 쫙쫙

1

말벌

아기 꿀벌

2

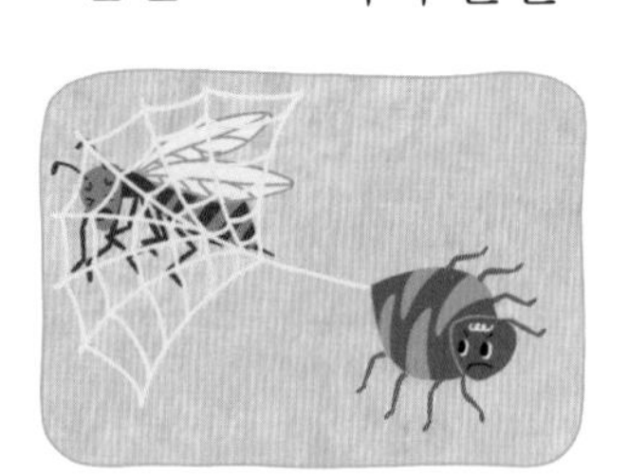

말벌에게 거미줄을 던져서
아기 꿀벌을 구했어요.

독해 ❷ .... 108~109쪽

거미줄

3 쓱쓱

4

나비는 대룡이에게 고마운 마음이 들었을 거야.

4

엄마한테 드릴 생일 카드와 선물을 망쳐서

5주 4일

독해 ① .... 110~111쪽

 붕

1 물속

2

대룡이가 거미줄로 개미를 구해 줬어요.

독해 ② .... 112~113쪽

 없다

3

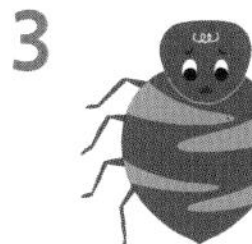

"무슨 말이야? 네가 잘하는 게 왜 없어?"

"난 아무것도 잘하는 게 없는 아기 거미인걸."

5주 5일

독해 ① .... 114~115쪽

 쏙닥쏙닥

1 쑥덕쑥덕

2

대룡이가 자신이 잘하는 일이 무엇인지 빨리 깨달았으면 좋겠어.

독해 ② .... 116~117쪽

 잘하는

3

거미줄 만들기

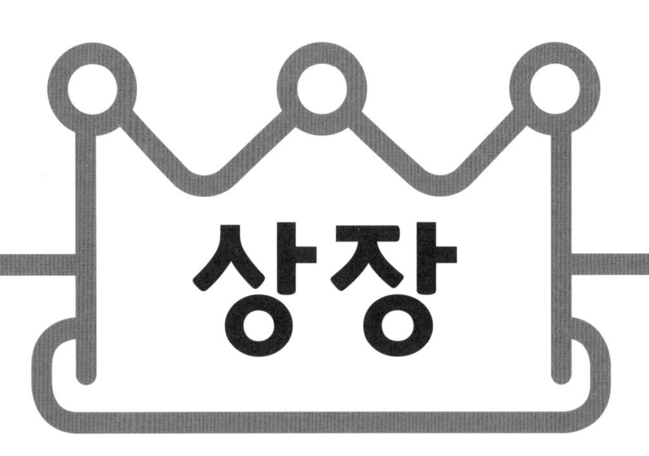

독해력 쑥쑥 상

이름 ______________________

위 어린이는 7세 초능력 유아 독해

2단계를 훌륭하게 마쳤습니다.

이에 칭찬하여 이 상장을 드립니다.

년 월 일

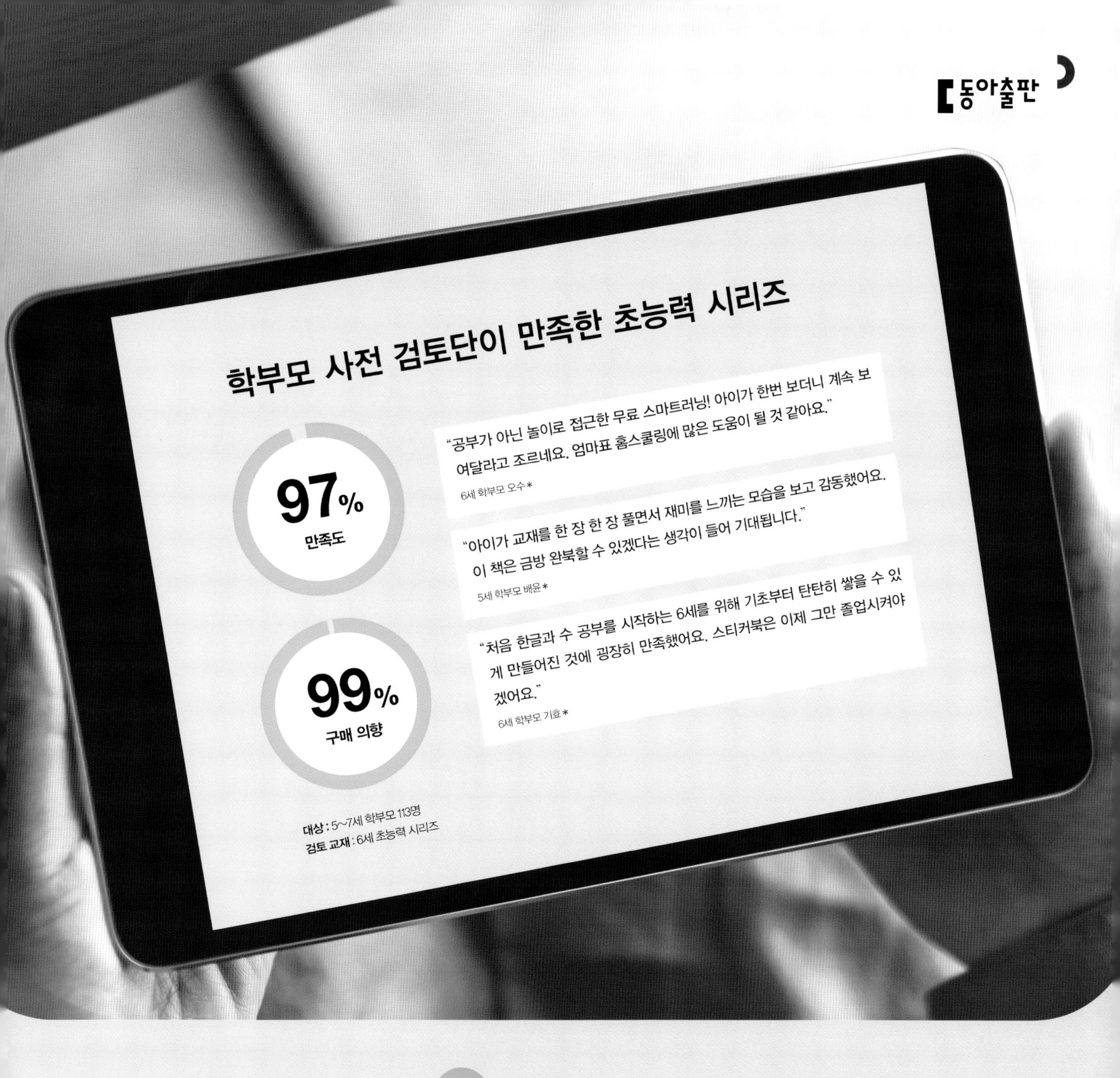

2권으로 완성하는 7세 초능력

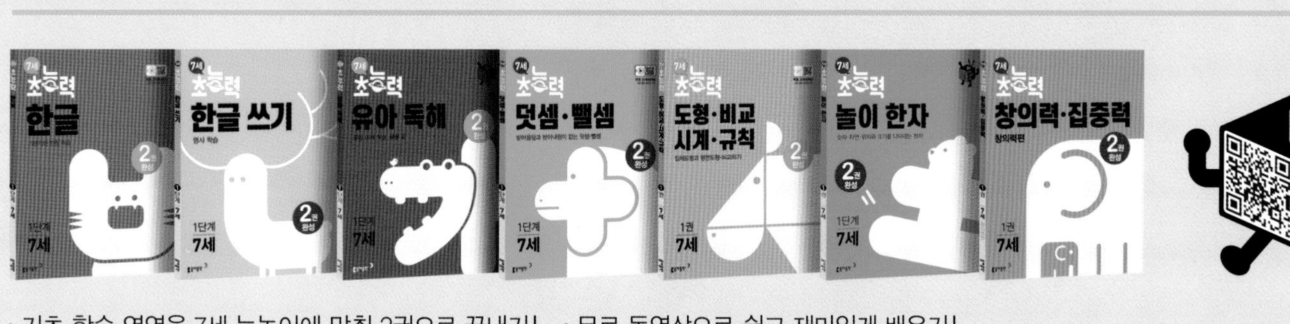

• 기초 학습 영역을 7세 눈높이에 맞춰 2권으로 끝내기! • 무료 동영상으로 쉽고 재미있게 배우기!

7세 초능력

유아 독해 2단계

7세 초능력
유아 독해 시리즈

1단계
문장 이해 학습_생활 글

2단계
문단 이해 학습_이야기 글

ISBN 978-89-00-46019-3
ISBN 978-89-00-46020-9 (세트)
정가 10,000원

KC마크는 이 제품이 공통안전기준에 적합하였음을 의미합니다.

동아출판

Telephone 1644-0600
Homepage www.bookdonga.com
Address 서울시 영등포구 은행로 30 (우 07242)

- 정답 및 풀이는 동아출판 홈페이지 내 학습자료실에서 내려받을 수 있습니다.
- 교재에서 발견된 오류는 동아출판 홈페이지 내 정오표에서 확인 가능하며, 잘못 만들어진 책은 구입처에서 교환해 드립니다.
- 학습 상담, 제안 사항, 오류 신고 등 어떠한 이야기라도 들려주세요.